Tous Continents

Œuvres de Marie Laberge

Romans

Affaires privées, Éditions Québec Amérique, collection Tous Continents, 2017.

Ceux qui restent, Éditions Québec Amérique, 2015 ; Paris, Éditions Pocket, 2017.

Mauvaise foi, Éditions Québec Amérique, collection Tous Continents, 2013.

Revenir de loin, Les Éditions du Boréal, 2010 ; Éditions Québec Amérique, collection Nomades, 2016.

Sans rien ni personne, Les Éditions du Boréal, 2007 ; Éditions Québec Amérique, collection Nomades, 2016.

Florent. Le goût du bonheur 3, Les Éditions du Boréal, 2001 ; Paris, Éditions Pocket, 2007 ; Éditions Québec Amérique, collection Nomades, 2016.

Adélaïde. Le goût du bonheur 2, Les Éditions du Boréal, 2001 ; Paris, Éditions Pocket, 2007 ; Éditions Québec Amérique, collection Nomades, 2016.

Gabrielle. Le goût du bonheur 1, Les Éditions du Boréal, 2000 ; Paris, Éditions Pocket, 2007 ; Éditions Québec Amérique, collection Nomades, 2016.

La cérémonie des anges, Les Éditions du Boréal, 1998 ; Éditions Québec Amérique, collection Nomades, 2016.

Annabelle, Les Éditions du Boréal, 1996 ; Éditions Québec Amérique, collection Nomades, 2016.

Le poids des ombres, Les Éditions du Boréal, 1994 ; Éditions Québec Amérique, collection Nomades, 2016 ; Paris, Éditions Pocket, 2018.

Quelques adieux, Les Éditions du Boréal, 1992 ; Paris, Anne Carrière, 2006 ; Éditions Québec Amérique, collection Nomades, 2016.

Juillet, Les Éditions du Boréal, 1989 ; Paris, Anne Carrière, 2005 ; Éditions Québec Amérique, collection Nomades, 2016.

Essai

Treize verbes pour vivre, Éditions Québec Amérique, 2015.

Théâtre

Charlotte, ma sœur, Les Éditions du Boréal, 2005.

Pierre ou la Consolation, Les Éditions du Boréal, 1992.

Le Faucon, Les Éditions du Boréal, 1991.

Le Banc, VLB éditeur, 1989 ; Les Éditions du Boréal, 1994.

Aurélie, ma sœur, VLB éditeur, 1988 ; Les Éditions du Boréal, 1992.

Oublier, VLB éditeur, 1987 ; Les Éditions du Boréal, 1993.

Le Night Cap Bar, VLB éditeur, 1987 ; Les Éditions du Boréal, 1997.

L'Homme gris suivi de *Éva et Évelyne*, VLB éditeur, 1986 ; Les Éditions du Boréal, 1995.

Deux tangos pour toute une vie, VLB éditeur, 1985 ; Les Éditions du Boréal, 1993.

Jocelyne Trudelle trouvée morte dans ses larmes, VLB éditeur, 1983 ; Les Éditions du Boréal, 1992.

Avec l'hiver qui s'en vient, VLB éditeur, 1982.

Ils étaient venus pour…, VLB éditeur, 1981 ; Les Éditions du Boréal, 1997.

C'était avant la guerre à l'Anse-à-Gilles, VLB éditeur, 1981 ; Les Éditions du Boréal, 1995.

Traverser la nuit

Projet dirigé par Éric St-Pierre, éditeur

Conception graphique : Louise Laberge
Photographie en couverture : © Marie Laberge

Toute ressemblance avec des personnes ou des faits réels ne peut être que fortuite.

Québec Amérique
7240, rue Saint-Hubert
Montréal (Québec) Canada H2R 2N1
Téléphone : 514 499-3000, télécopieur : 514 499-3010

Nous reconnaissons l'aide financière du gouvernement du Canada.

Nous remercions le Conseil des arts du Canada de son soutien.
We acknowledge the support of the Canada Council for the Arts.

Nous tenons également à remercier la SODEC pour son appui financier. Gouvernement du Québec — Programme de crédit d'impôt pour l'édition de livres — Gestion SODEC.

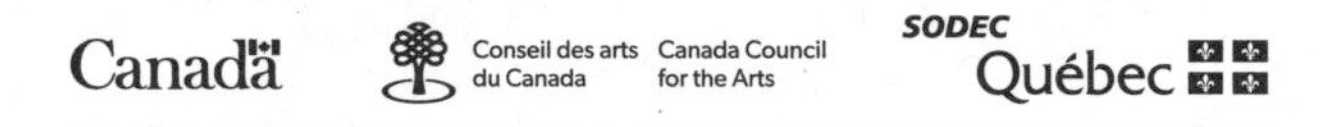

Catalogage avant publication de Bibliothèque et Archives nationales du Québec et Bibliothèque et Archives Canada

Titre : Traverser la nuit / Marie Laberge.
Noms : Laberge, Marie, auteur.
Collections : Tous continents.
Description : Mention de collection : Tous continents
Identifiants : Canadiana 2019002464X | ISBN 9782764438893
Classification : LCC PS8573.A1688 T73 2019 | CDD C843/.54–dc23

Dépôt légal, Bibliothèque et Archives nationales du Québec, 2019
Dépôt légal, Bibliothèque et Archives du Canada, 2019

Imprimé au Canada

Marie
Laberge

Traverser la nuit

roman

QuébecAmérique

À Denise Gagnon,
mon indéfectible alliée
ma première lectrice
depuis plus de quarante ans
mon amie.

Le temps passe et ai-je seulement
commencé à vivre ?

Hélène Dorion

Celui qui n'a rien comme moi, comme plusieurs
marche depuis sa naissance, marche à l'errance
avec tout ce qui déraille et tout ce qui déboussole [...]

Gaston Miron

Le matin de ses cinquante ans, Emmy Lee referme la porte de l'appartement qu'elle occupait. Sur la table, à l'endos d'un reçu d'épicerie, elle a griffonné « *Parti. That's it.* » et laissé sa clé sur cette note laconique.

Elle ne se pose aucune question concernant ce message. C'était venu comme cela. C'est ce que Ghyslain clamait quand c'était définitif: *that's it!* Qu'il manque un « e » à « parti » lui est complètement égal. Dans sa vie, il manque bien davantage qu'un « e ».

Arrivée au terminus d'autobus, elle étudie les destinations qui s'offrent à elle. Le prix du voyage constitue son premier critère. Elle lit donc en commençant par la colonne des tarifs et avise ensuite l'endroit où la mènerait son portefeuille. Choisir la suite de sa vie en fonction de la maigreur de ses ressources lui paraît logique. Rêver n'est pas dans ses habitudes.

Joliette. Assez loin, économique et complètement nouveau.

Assise sur le banc d'en avant du bus, le sac bleu en polymère contenant sa vie posé sur ses genoux, elle grignote un muffin aux bananes en regardant le paysage se fendre pour laisser passer le bus.

C'est là qu'elle est enfin bien. Entre deux points. Entre l'origine et l'issue.

Dehors.

Comme si s'enfuir était son *modus vivendi*.

~ ~ ~

Elle sourit en grattant du bout de l'ongle le papier gras où des miettes de muffin s'accrochent : rien n'est plus léger que quitter Ghyslain. S'éloigner de ses brutales exigences, qu'elles soient de bière, de sexe ou de pizza, ne représente aucun sacrifice ou arrachement. Elle sait que dans deux jours ou même deux heures, elle n'y accordera plus aucune pensée. Elle sera ailleurs, sans mémoire, sans passé ou presque.

« Si je pouvais le faire sans mentir, je vous promettrais de penser à vous de l'autre bord. Mais les morts n'ont pas de mémoire, Emmy. C'est réservé aux vivants. »

Jacky.

« Mon vrai nom, c'est Jacqueline, mais on m'a toujours appelée Jacky. J'aime mieux ça. »

Rien ne dérangeait Emmy. Jamais.

Jusque-là, jusqu'à cette Jacqueline qui s'appelait Jacky et qui posait des questions non pas pour meubler le silence, mais pour obtenir des réponses.

Jusqu'à cette femme âgée, abandonnée de tous et même délaissée par son pauvre corps osseux, cette vieille entêtée aux yeux perçants qui fouillaient son visage avec une concentration absolue afin de savoir à qui elle avait affaire.

On ne trompait pas le regard de Jacky. On ne l'achetait pas avec des mots passe-partout, des formules lénifiantes ou faussement rassurantes. Jacky n'était dupe de personne. Elle savait à quoi s'en tenir concernant la faiblesse des sentiments humains et la puissance des appétits.

En froissant le sac brun, Emmy constate avec un étonnement tranquille que pour la deuxième fois de sa vie, la pensée de quelqu'un la hante.

Et que cette personne lui manque.

~ ~ ~

Contrairement à ce que son nom évoque, Joliette n'est pas que jolie. La ville est serrée de près par la rivière L'Assomption et ce qui touche au cours d'eau est souvent soigneusement aménagé. Mais le territoire semble s'être déployé en quartiers divers, plus ou moins harmonieux. Emmy n'est ni déçue ni enthousiaste. C'est exactement ce qu'elle prévoyait : une ville de province à dimension humaine. Une ville tranquille, assurément.

Le motel est modeste sans être miteux. Elle pose son sac bleu sur l'unique chaise, retire le couvre-lit chamarré dont elle connaît d'expérience la douteuse propreté, le plie soigneusement et, une fois son inspection anti-punaises complétée, le remplace par la couverture d'appoint qu'elle trouve dans le garde-robe.

Une fois ce rituel terminé, elle reprend son sac, la clé du motel, et repart vers la ville.

En s'assoyant sur un banc à la peinture écaillée, elle pousse un soupir aimable : voilà ce qui est joli à Joliette, ce parc et son calme bercé par les oiseaux.

Emmy tire un petit carnet de son sac et l'ouvre à la première page.

« Vous ne dites jamais rien ? Vous ne rouspétez pas, même quand ça ne fait vraiment pas votre affaire ? »

La question de Jacky l'avait tellement frappée qu'elle était restée muette, justement.

Jamais l'idée de rouspéter ne lui était passée par la tête. Pour répliquer, il faut avoir des mots, de l'éloquence, une façon de contrer l'autre et ses arguments. Toutes choses dont Emmy se sent dépourvue. Elle préfère rentrer en elle-même, épaules fermées, tête baissée, comme une tortue regagne sa carapace.

Se taire et fuir quand ça devenait insupportable. Sa seule attaque, sa seule réaction c'était de tourner le dos et d'aller ailleurs. Plus loin. Et tant pis si elle faisait le tour de la terre.

Son réflexe n'était pas une réflexion, mais une réponse, la seule qu'elle connaissait. Devant l'intolérable — ou ce qui lui apparaissait tel — elle partait sans discuter. Elle n'avait jamais eu envie de débattre, elle n'était pas outillée pour cela. Fuir l'avait si souvent sauvée qu'elle ne considérait jamais une autre riposte.

Cette phrase, cette question de Jacky avait été formulée après un incident qui aurait été anodin pour n'importe qui d'autre que cette femme attentive.

En manœuvrant pour essuyer le dos de Jacky, Emmy avait coincé son bras et, pour le dégager, Jacky avait effleuré son sein.

Elle s'excusait et Emmy avait haussé les épaules : « Pas grave. »

Aux yeux de Jacky, l'indispensable proximité physique que ses soins exigeaient n'incluait pas ce genre de privauté.

Ce qui avait fait sourire Emmy : combien de fois ces « incidents » étaient-ils sciemment provoqués par certains de ses « bénéficiaires », comme les appelaient les responsables de ces établissements ? À commencer par monsieur Villemaire qui abusait allègrement de tout voisinage à portée de sa main. Le vieux libidineux s'emparait de la moindre parcelle atteignable en la déclarant « offerte à sa concupiscence », rendant par là le geste excusable ou du moins non punissable à ses yeux. Des trésors d'inventivité n'empêchaient pas la main baladeuse de trouver à se faufiler et à la tâter. À chaque assaut, Emmy se dégageait fermement mais sans violence.

« Pas capable de prendre un compliment ? C'est ma manière de te trouver belle… Regarde-moi pas de même ! As-tu une idée de ce que c'est une boîte de chocolats ouverte pour un diabétique ? Si tu voulais, je pourrais te récompenser… »

Emmy fuyait avant que le désir ou le montant de son éventuelle satisfaction soit dévoilé. La main de monsieur

Villemaire s'agitait sous la couverture et s'immobilisait brusquement quand il criait: « Attends! Attends! Reste là! Juste là... »

Combien de fois monsieur Villemaire s'était-il privé de soins d'hygiène pour satisfaire ses obsessions? Emmy était la seule à devoir l'affronter, toute l'équipe se tenant loin de ces propositions exaspérantes et rusant pour ne pas avoir à entrer dans la chambre. À défaut de formation, l'expérience permettait à Emmy de travailler auprès des personnes en perte d'autonomie, mais à cause de cette lacune, elle n'obtenait ni un salaire décent ni le choix des gens à soigner. Son statut étant précaire, dès qu'on répugnait à s'occuper d'un client, c'est à Emmy qu'on le refilait.

Si Jacky était demeurée une de ses « clientes habituelles », c'est qu'elle en avait exprimé le désir. Emmy ignorait pourquoi, elle se contentait d'accorder un soin attentif à son bien-être et de savourer la pause que cette femme représentait dans son travail.

Le jour de l'incident, Jacky l'avait observée en silence. Comme si elle suivait le chemin de ses pensées, elle l'avait étonnée en demandant qui profitait d'elle ou abusait de la situation. Et pourquoi elle ne s'en plaignait pas.

Emmy s'était contentée de hocher la tête en souriant. Et de sortir de la chambre sans répondre.

Une semaine plus tard, la directrice l'informait que monsieur Villemaire serait désormais confié aux soins de préposés masculins qui essaieraient d'améliorer la performance à l'hygiène corporelle qui avait connu une baisse regrettable ces derniers temps. Le changement semblait ne viser que ce but, mais comme aucun reproche n'avait suivi, Emmy en avait conclu que la boîte de chocolats serait retirée de la vue de monsieur Villemaire.

Ce soir-là, en rentrant chez elle, Emmy avait inscrit les deux questions de Jacky dans un calepin tout neuf, acheté exclusivement à cet effet.

Elle ignorait si d'autres phrases suivraient, mais elle ne voulait pas oublier ces deux-là.

En considérant les quelques mots qui n'occupaient pas la totalité de la page, elle s'était aperçue qu'oublier était sa seconde défense.

Après fuir.

~ ~ ~

Le parc recèle quelques trésors de beauté. La rivière ayant un débit variable, il y a des endroits où l'eau se calme soudainement et forme une enclave paisible comme si elle se muait en étang. Un canard sauvage y nage. Indifférent au bruit et à l'agitation alentour, sourd à l'effervescence humaine, il zigzague sur l'eau calme, lissant ses plumes, plongeant tête première, le croupion relevé vers le ciel. Il n'est ni coloré ni beau. À peine une légère irisation sur son cou quand le soleil frappe en oblique, minuscule flaque d'huile qui s'illumine dans son terne habit. Sans doute une femelle puisque ses appâts sont parcimonieux.

Le banc près du plan d'eau est rapidement adopté par Emmy. Quel que soit le temps, elle vient y manger et observer l'oiseau. Elle ne s'en lasse pas. Et jamais, en aucun cas, elle ne jette de la nourriture pour l'attirer ou le nourrir.

Elle reste à sa place et le laisse chercher sa pitance sans intervenir. De la même façon qu'elle n'intervient pas quand un enfant excité se met à lancer des cailloux dans l'eau pour attirer l'attention du canard, ce qui le fait irrémédiablement fuir. Elle entend les mères s'extasier devant le jeu agressif de leur progéniture et elle se dit que quelque chose manque à sa compréhension de l'éducation. Le canard attire beaucoup de cris, de gestes, mais jamais personne ne s'assoit en silence pour l'attendre et l'observer. Quand elle entend les : « Y fait quoi, le canard ? » et les « Couâ ! Couâ ! » répétitifs criés par les petits, même elle finit par s'éloigner comme le canard.

Une fois le calme revenu, elle s'aperçoit que l'oiseau revient aussi, s'étant mis à l'abri le temps que l'ambiance se calme. Cette similarité de comportement donne à Emmy une forte impression de parenté animale. De toute façon, les animaux, quelle que soit leur nature, lui semblent plus simples à décoder que ses semblables, les humains.

« La plupart des gens croient que s'ils ont de l'argent et une retraite assurée, ils sont à l'abri. La précarité est dans le temps… et ça, ils l'ignorent. Jusqu'à ce que le temps le leur apprenne. »

Emmy n'avait jamais entendu ce mot qu'elle ne comprenait pas : précarité. Que cette chose soit liée au temps ne l'éclairait pas beaucoup. À ses yeux, le temps gagnait toujours, quoi qu'on fasse pour le contredire. Comme les saisons, le temps régnait, inutile d'essayer de le battre.

Elle brossait les cheveux courts de Jacky en les séchant, et le bruit pouvait passer pour son commentaire ou son assentiment. De toute façon, elle n'épiloguait jamais sur ce que Jacky disait. Elle écoutait et elle essayait de se souvenir des mots inconnus pour les décrypter plus tard. La plupart du temps, elle oubliait le terme exact, d'où l'intérêt du calepin.

« *Précarité* », voilà ce qu'elle avait écrit. L'infirmière à qui elle avait demandé avait simplement dit qu'il s'agissait de l'état incertain d'un malade, quand on ne savait pas si ça allait empirer ou s'améliorer.

Jacky ne voulait sûrement pas dire que l'état du temps allait empirer.

Emmy avait haï l'école et maintenant, elle détestait son incapacité à comprendre ce que tout le monde avait l'air de saisir. Persuadée de sa nullité, elle ne doutait pas que son intelligence soit défaillante, que la compréhension la plus minimale lui soit inaccessible. Une idiote qu'aucun effort n'aurait pu rendre le moindrement capable.

Une idiote juste assez allumée pour savoir qu'elle l'était. Idiote. Pauvre idiote, comme avait dit une enseignante, la propulsant au rang des cas désespérés, ceux qui attirent la pitié et non la stimulation.

« Tu n'as pas d'esprit, mais tu es jolie », et ceci semblait remplacer cela.

Emmy avait conclu qu'elle était une chose davantage qu'une personne. Qu'elle ne disposait d'aucun intellect. Qu'elle n'avait pas d'âme non plus, cette étrangeté évanescente qui avait l'air de donner du poids à ce qu'elle ne pouvait comprendre. Cette dimension supérieure à laquelle elle n'avait pas accès.

Elle se situait donc entre le canard et l'être humain doté d'une âme. Au moins, cela lui épargnait de tenter de « sauver son âme », comme les prêtres ne cessaient de répéter.

~ ~ ~

À l'épicerie de quartier où Emmy achète la plupart de ses repas, la propriétaire est une bavarde. Dès qu'elle l'aperçoit, elle se met à jacasser et n'a besoin d'aucune forme d'encouragement pour étaler ses immenses connaissances des futilités de la vie.

Grâce à elle et à sa logorrhée, Emmy apprend à connaître les ressources de l'endroit.

Malgré la frugalité avec laquelle elle gère sa vie, ses économies ne sont pas éternelles. À peine a-t-elle regardé le tableau placé près de la porte de l'épicerie pour trouver une chambre à louer qu'Amanda s'élance dans un de ses interminables soliloques.

Sans l'interrompre, Emmy pose son sandwich près de la caisse et attend. Amanda l'observe, l'œil inquisiteur, presque victorieux de sa clairvoyance : « C'est pas un emploi que vous cherchez, han ?

— Une chambre. »

Ce seul indice plonge la dame dans un autre laïus où une flopée de solutions appuyées d'un dessin avec des croix tracées sur d'approximatives rues renseignent Emmy.

Même le maigre « merci » offert déclenche un commentaire interminable sur la notion du « service à la clientèle » auquel Emmy met fin en agitant le papier.

La chambre dite « en demi-sous-sol » est une véritable cave où l'humidité laisse planer un relent de béton suintant. Un soupirail permet de voir les pieds des passants et distille un filet de lumière.

C'est l'endroit le moins cher de toutes les options et pour cause, même le propriétaire ne croyait pas possible de louer un tel trou. Sans qu'elle le demande, il a abaissé son prix d'une vingtaine de dollars, trop heureux d'avoir une seule visite dans une période de l'année très calme.

« Les étudiants, asteure, sont tellement gâtés : leurs parents payent toute. Y lèvent le nez sur toute. Pas moyen de leur louer, même à bon prix. Ça leur prend du super cool, quand c'est pas du luxe. »

Emmy aurait bien volontiers discuté de la notion de « bon prix », mais l'homme sent tellement la sueur qu'elle n'a qu'une idée : le voir déguerpir pour aérer.

« Le micro-ondes, faut pas le faire marcher en même temps que votre séchoir à cheveux… — il l'observe, dubitatif — si vous en avez un. Ça fait sauter le *breaker*. Si vous n'avez pas besoin, je peux le remonter en haut. »

Emmy fait non et tient la porte grande ouverte en souriant aimablement pour adoucir la dureté de l'invitation.

« Oui, bon… Si vous avez besoin, je suis en haut. »

Tout ce qu'elle espère, c'est qu'il y reste.

Propre et laide, mais propre. La chambre est plus petite que le motel. Une seule chaise, le lit, la toilette où une douche asthmatique est si exiguë qu'il faut y entrer de guingois, et le micro-ondes posé sur un quart de comptoir qui prend fin abruptement pour laisser la place à un minuscule frigo dont le moteur gémit avec régularité.

Le premier tiroir du meuble bancal ne s'ouvre pas, coincé ou vissé, elle ne cherche pas à le savoir puisque le second cède et qu'elle y place l'ensemble de ses maigres effets.

Avec son sens aigu de l'économie, elle prévoit se rendre jusqu'au printemps sans avoir à travailler.

Plus de six mois devant elle.

Pour souffler.

Rebâtir sa carapace.

« Comment on fait pour être inatteignable ? Je veux dire... sans devenir un monstre inhumain. Juste... à distance. »

Emmy avait inscrit la question en comprenant ce que Jacky cherchait. Son souhait le plus viscéral était le parent proche de ce vœu : devenir étanche à tout. À la bonté comme à la cruauté, à l'envie comme au désintérêt, au désir comme à l'indifférence. Étanche. Comme le bourgeon de la feuille peut l'être en plein hiver, caché dans la branche protectrice. Dans sa matrice. Déjà là, mais invisible aux yeux de tous.

Totalement libre, parce que ne dépendant de personne, n'espérant, n'attendant personne. Et c'est bien ce à quoi Jacky faisait référence. Seulement, Emmy savait qu'y parvenir serait ardu. Ne rien dire, ne rien répliquer, ce n'est pas être inatteignable, c'est se taire. Ne pas révéler l'empreinte de l'autre sur sa vie, sur son corps, sur sa liberté, c'est limiter l'empreinte à ce qu'elle est, sans l'agrandir en la révélant ou en l'exposant.

C'est le moindre mal.

Si loin de l'absence de mal.

~ ~ ~

Un soir, en entrant préparer Jacky pour la nuit, Emmy avait stoppé net. Un homme grand et maigre s'était brusquement retourné de la fenêtre pour aboyer : « Tu vois pas que tu déranges ? »

Jacky lui avait fait un signe de la main, pas du tout impressionnée par le ton de l'homme.

« Non, Emmy ! Laissez-moi vous présenter mon fils, Sébastien. Il est venu vérifier les progrès de mon Alzheimer. Ça fait quarante et une minutes qu'il est là, et trois ans et huit mois qu'un juge l'a débouté et lui a interdit de toucher à mon argent… et qu'il n'est pas revenu s'inquiéter de sa chère maman. Comme tu vois, Sébastien, ma mémoire est intacte et la fréquence de tes inquiétudes ne risque pas de me rendre confuse. Regardez-le bien, Emmy, il ne reviendra pas avant ma mort. Mais ce jour-là, ce sera le premier à se présenter. »

L'homme avait fait une grimace méprisante, comme si sa bouche devenait celle d'une carpe dédaigneuse et, sans un mot, il était sorti.

Hésitante, Emmy était restée plantée là, sa bouteille de lotion dans la main.

Le regard de Jacky se perdait vers la fenêtre où son fils s'était tenu. Emmy ignorait si elle fixait la nuit pour oublier ou pour se rappeler les moments de cette visite.

« Vous avez des enfants ? »

Emmy n'avait pas répondu et Jacky l'avait enfin regardée.

« C'est tellement étrange… Ils vivent avec nous, mais ne sont pas nous. Ils ont nos yeux, mais ne regardent rien comme nous. Et surtout, ils demandent beaucoup et ne nous doivent jamais rien. C'est un appétit. Ils viennent au monde et ils réclament sans arrêt. C'est un échec. »

Emmy n'avait pas demandé pour qui, l'échec. À partir du moment où ça l'est pour l'un, ça le devient pour l'autre. Sébastien ne respirait pourtant que la réussite.

« Vous en vouliez, des enfants ? »

Pour toute réponse, Emmy frictionne le dos de Jacky. Cela fait partie des extras, comme le bain supplémentaire, le lavage des cheveux et la coiffure.

Une fois installée pour la nuit, Jacky avait souri, tranquille : « Je lui ai inventé des excuses toute ma vie. Pourquoi ce soir je n'ai plus envie de le faire ou de me déclarer coupable de mes mauvais coups, je ne sais pas. Mais merci. Rien de mieux ne pouvait m'arriver que notre rencontre. »

Sans chercher à comprendre la dernière phrase si mystérieuse à ses yeux, Emmy était sortie s'occuper des autres personnes sous sa responsabilité.

Le lendemain, la directrice l'avait convoquée pour l'interroger sur ce qui s'était passé avec le fils de Jacky. Celui-ci avait cherché à se renseigner sur le personnel « qui tournait autour de sa mère en quête d'une récompense ou d'un retour sur investissement », et il l'avait décrite comme première concernée par ses accusations.

Parce qu'elle ne s'était pas montrée scrupuleuse en ce qui concerne les diplômes ou certificats de compétence, la directrice estimait qu'Emmy lui devait davantage de dévouement et d'honnêteté. « J'ai risqué gros en vous faisant confiance, ne me décevez pas » sous-entendait chacune de ses paroles.

Sévère, elle attendait qu'Emmy s'explique, qu'elle s'agite un peu pour prouver sa bonne foi, qu'elle se justifie ou se désole, bref, qu'elle se comporte normalement.

Après un long silence, constatant qu'il fallait qu'elle dise quelque chose, Emmy avait fini par demander si elle devait partir.

Irritée, déçue du peu de frayeur de cette employée modèle qui n'avait que le défaut de ne pas carburer à la culpabilité comme tout le monde, la directrice l'avait renvoyée à sa tâche en déclarant qu'elle vérifierait son comportement auprès de Madame.

« Mon fils a enfin réussi à parler à quelqu'un qui comprend sa cupidité. La directrice va sûrement essayer de mettre son inquiétude de perdre un revenu sur votre dos. Les gens qui ne se défendent pas sont tellement pratiques… on peut leur prêter toutes nos mauvaises intentions. »

Emmy en avait conclu qu'elle n'aurait pas à chercher un autre travail. Le reste demeurait un mystère pour elle. Et ce qu'elle ne décodait pas, elle laissait aux autres le plaisir d'en débattre.

~ ~ ~

Assise sur son banc devant le plan d'eau que le canard a momentanément déserté, Emmy répond à la question de

Jacky concernant le désir d'enfants. Ou plutôt, elle constate qu'elle ne s'est jamais posé la question. Le jour où c'est arrivé, le géniteur n'en voulait pas et cela avait réglé le problème.

« Quoi ? Débarrasse-toi-z-en ou ben débarrasse le plancher ! Je veux rien savoir de ça ! »

Elle avait dix-sept ans. Lui, c'était un client régulier au casse-croûte *Chez Tony*. Ses pourboires avaient augmenté jusqu'à ce qu'il se croie légitimé d'obtenir un « retour sur investissement ». Comme toujours, quand il était question de sexe dans sa vie, elle l'avait laissé faire sans broncher. C'était un *trucker* qui stationnait son énorme dix roues chaque mardi matin sur le parking de *Chez Tony*. Son *shift* à elle commençait à six heures du matin et le mardi, à cinq heures quarante-cinq, elle laissait cet homme marié, père de trois enfants qui n'en voulait pas d'autres, se soulager en murmurant qu'elle aimait ça. Et à six heures, elle lui versait son premier café. Bien chaud.

Avorter n'avait pas été simple, elle manquait de contacts et la grossesse était avancée. Quand elle avait demandé à cet homme de l'aider à faire ce qu'il voulait, il l'avait traitée d'idiote de s'en être aperçu si tard. Une fois la chose faite, il n'était jamais revenu *Chez Tony*. Emmy ne se souvenait plus de son nom. La seule image précise qu'elle gardait était celle de la croix du chapelet accroché au rétroviseur de la *van* qui oscillait au rythme de l'énergique poussée de son partenaire.

La procédure avait dû mal se passer parce qu'elle n'était plus tombée enceinte par la suite. Et pourtant, elle en avait vu des crucifix tanguer. Elle est toutefois certaine que se reproduire n'a jamais constitué un désir. Finalement, la seule chose qu'elle a jamais vraiment voulue, c'est la paix. Au souvenir de Sébastien ou à voir les mères qui viennent s'agiter près de l'eau, elle est certaine qu'un enfant ne lui aurait pas apporté de paix. En dehors de la tranquillité, rien n'avait fait l'objet du moindre désir. Surtout pas le sexe ou ce qu'elle en savait et encore moins l'amour, cet étrange rapport à l'autre qui engendre tant d'effets secondaires. Quand, au cinéma ou à la télévision, elle voyait des gens s'agiter en se frottant l'un contre l'autre avec plus ou moins de conviction, elle en éprouvait au mieux de l'ennui. Parfois, quand la démonstration était particulièrement convaincante, elle fermait les yeux, en proie à une sensation de noyade, d'étouffement.

Pour échapper à la désagréable impression de ce genre de souvenirs, elle se concentre sur le paysage apaisant. Une légère brise fait tomber des feuilles jaunies qui flottent, languissantes. Elles glissent avec grâce et forment un amas coloré sur le fond sombre de l'eau.

Le canard n'est pas au rendez-vous et Emmy se demande s'il est déjà parti pour fuir l'hiver qui s'annonce pourtant sans insister. À part la couleur des feuilles, rien n'indique la moindre urgence de se mettre à l'abri.

Les canards sont peut-être des créatures avisées et prévoyantes…

Empoignant le sac en nylon bleu, Emmy longe la rivière, attentive au moindre mouvement.

Dépitée, elle s'assoit un peu plus loin : envolé, le canard. Parti faire sa vie à la chaleur, indifférent à son regard pourtant amical.

Elle s'étonne de sa déception, s'étant crue enfin à l'abri de l'attente, ce despote. Pour un canard, en plus !

Avant que Jacky ne lui accorde son attention, jamais Emmy n'avait espéré quelqu'un.

Mais elle se ment. À plus d'un égard, d'ailleurs. Ce n'est pas de l'attention, mais de l'affection que Jacky lui offrait. Et l'espoir qu'Emmy entretient maintenant, c'est de surmonter l'horrible trou de l'absence.

Son allié naturel, le silence, est devenu une sorte d'ennemi depuis qu'elle n'a plus personne à écouter.

~ ~ ~

Après le passage de son fils Sébastien, Jacky avait traversé un dur moment. Affaiblie, elle avait de plus en plus de mal à se lever, à faire les quelques pas qui séparaient son lit du fauteuil et de la salle de bains. Emmy captait les moindres signes de déclin et s'en inquiétait.

« Si je suis à l'article de la mort, va falloir avertir mon grand garçon si soucieux ! »

Elle avait beau ironiser, Emmy voyait bien que le souffle de Jacky se hachurait et que les plateaux pourtant peu garnis n'étaient pas très entamés au retour.

« Vous voulez me donner la becquée, Emmy ? Ce n'est pas mon bras qui est en cause, c'est l'appétit. La nourriture se rend, c'est à l'intérieur qu'elle ne descend plus. J'ai le cœur serré, ma chère. J'ai toujours clamé une indifférence que je suis loin de ressentir. Venez vous asseoir un peu, je vais faire un sort à ce Jell-O en votre compagnie. »

Petit à petit, d'un repas à l'autre, les liens s'étaient tissés entre elle et Jacky. Ce fils pourtant si peu aimable avait ouvert la porte à la confidence. Qu'elle provienne unilatéralement de Jacky n'importait pas à Emmy qui connaissait d'instinct le pouvoir curatif de l'écoute. En parlant peu, en ne se livrant jamais, elle avait provoqué tant de confidences que, si elle les avait retenues, elle aurait pu écrire mille témoignages sur la misère humaine. Celle des espoirs déçus. Celle des rêves jamais réalisés et celle, si pénible, de la haine de soi.

En se frottant à ces récits, et même si elle prenait soin de les oublier sitôt le pas de la chambre franchi, Emmy avait appris à ne pas laisser ces émotions l'atteindre. La haine, celle de soi ou des autres, ne l'habitait pas. Elle était comme elle était et il fallait vivre avec, point à la ligne. L'apprentissage de son incompétence ou de toutes ses inaptitudes avait précédé, et de loin, celui de l'alphabet.

« Mais pourquoi vous ne demandez jamais pourquoi ? Vous avez été privée de curiosité ? »

Cette phrase était une de celles qu'elle relisait le plus souvent dans son carnet. Elle avait souri en l'entendant et elle souriait encore en la lisant.

Le rire triomphant de Jacky, son rire généreux de compétitrice acharnée quand elle avait soutiré ce sourire !

« Je ne me rendais pas compte que c'était ce qui nous manquait : rire un peu. Bon, soyons honnête : rire pour moi, sourire pour vous. Comme vous êtes pas extravagante, ça équivaut à rire très fort. »

D'un repas à l'autre, d'une bouchée à l'autre, l'alerte était passée. Et Sébastien avait regagné la zone d'ombre de ceux pour qui Jacky ne pouvait rien.

« Quand on arrive au bout de sa vie, on se rend compte qu'on a accordé une importance démesurée à des niaiseries. Mon dieu ! le temps qu'on perd à se battre contre des évidences ! J'ai été très occupée à être malheureuse, vous savez. C'est tout ce que j'avais, mon malheur. Alors, j'en ai pris soin. Sébastien a parfaitement raison sur un point : je ne l'ai pas mis à l'abri. Il n'a jamais cru que j'ignorais ce qui ruinait sa vie. Tiens… ruinait. Ça doit être la source de son problème avec l'argent. Sébastien a une fâcheuse tendance à comptabiliser. Il calcule ce qu'on lui doit en argent pour compenser des sévices d'un tout autre ordre. Je ne dis pas qu'il n'a pas souffert, mais je pense que sa solution n'est pas la bonne. Il n'y a pas de fortune qui fasse oublier. Empiler de l'argent pour renflouer le trou qu'on a dans le cœur, c'est jamais efficace. L'argent, c'est pas de l'étoupe pour calfater nos abîmes personnels. Sébastien ne s'en est pas aperçu. Pas encore. »

C'est parce qu'elle la laissait continuer sans demander d'éclaircissements que Jacky avait passé sa remarque sur l'absence de curiosité.

Aux yeux d'Emmy, les raisons qu'on se donnait n'expliquaient que rarement les causes profondes des problèmes.

Ces raisons ne sont pas des réponses aux « pourquoi », ce sont des prix de consolation pour ce qu'on ne s'explique pas.

Emmy avait saisi depuis toujours qu'elle ne trouverait ni raisons ni coupables à ce qui pouvait constituer ses « pourquoi ». Elle ne cherchait pas. Elle admettait. Pour ce qui était de consentir, elle n'était pas sûre de comprendre le sens exact de ce verbe.

Ce qui la déroutait profondément, c'était que Jacky accorde de l'intérêt — et un intérêt véritable — à sa personne. Elle y pressentait un obscur danger. Elle s'était frottée à plusieurs intérêts à son égard, mais à un intérêt désintéressé, jamais.

Le proprio de sa vraie cave rehaussée de l'appellation « demi-sous-sol » ne cache pas son intérêt, lui. Régulièrement, il frappe à sa porte pour lui offrir un service, de l'aide, ou même de partager son repas et de regarder la télé en sa compagnie.

Emmy n'a plus quinze ans et son refus n'a rien d'évasif. Pour autant, le proprio ne semble pas l'entendre. Sa dernière tentative est de négocier une substantielle baisse de loyer (versé chaque lundi, cash) contre… une petite gentillesse de sa part.

Le geste éloquent vers sa braguette comble la lacune verbale, si jamais elle avait mal interprété la nature de la gentillesse.

Emmy ferme la porte sur son refus non équivoque et, dès que la voie est libre, elle repart en quête d'un nouveau logis.

Le dimanche soir, son sac bleu lesté de toutes ses possessions, elle va s'installer dans une chambre aux allures spacieuses et qui lui a paru éblouissante au premier regard puisque la visite a coïncidé avec l'heure du coucher du soleil, quand des reflets chatoyants coloraient le dessus de lit virginal. La propriétaire loue trois chambres de son immense maison patrimoniale et elle n'a qu'une exigence à part le paiement du loyer: le silence après vingt-deux heures.

Plutôt réservée, madame Pépin a les hanches larges, le sourire discret et elle a l'air ligotée dans son tablier immaculé tellement il est grand et enveloppant.

Tout convient admirablement à Emmy, jusqu'à la vague odeur de pomme-cannelle qui émane de la dame.

Assise dans son lit au confort royal en comparaison de son ancien refuge, Emmy estime sa chance immense: grâce aux avances d'un puant, elle est maintenant bien logée pour le même prix.

L'argent ne comble pas tous les vides, mais ce bien-être silencieux les rend pas mal moins criants. Et ce, même sans micro-ondes.

~ ~ ~

« C'est se donner beaucoup d'importance, croire qu'on est en droit de se venger. »

Emmy a écrit la phrase un soir de novembre, après avoir trouvé Jacky en larmes. En lui tendant un mouchoir, elle avait constaté qu'une lettre reposait sur le drap replié.

Son *shift* était terminé, elle ne passait que pour dire « bonne nuit ». Elle a tapoté la main de Jacky et murmuré son « je reste ? » timide. Ce ne serait pas avec des paroles qu'Emmy arriverait à enrayer les larmes, mais si sa présence pouvait aider, elle était prête à rester.

Des larmes de reconnaissance avaient succédé à celles liées au chagrin, détail qu'ignorait Emmy. Muette, les yeux emplis de compassion, elle attendait que la frêle Jacky reprenne contenance. Ses paroles concernant la vengeance avaient brisé un long silence.

En repliant la lettre, elle avait ajouté : « Ça soulage même pas. C'est le remède des humiliés pour se donner l'illusion qu'on a de la force. Ou du courage. En tout cas, qu'on a de quoi. Qu'on n'est pas démunis. »

Emmy avait compris qu'être sans défense était fort peu envisageable pour Jacky. Jamais l'idée de vengeance ou de force, qu'elle soit réelle ou forgée, ne lui était passée par la tête. Pas davantage que pleurer, se plaindre ou rager. Ce qui était était et serait. Sans révolte, Emmy était persuadée qu'il valait mieux se pousser loin de la menace plutôt que de s'attaquer à elle. Le contraire de Jacky qui mesurait amèrement l'ampleur de sa défaite.

~ ~ ~

Madame Pépin aime cuisiner. Tôt le matin, l'odeur du café, celle du bacon ou de la cuisson de quelque pâtisserie vient ouvrir l'appétit d'Emmy. C'est comme le chant des sirènes.

À lui seul, ce parfum murmure qu'il existe d'autres façons de saluer le jour que de se ruer au premier casse-croûte pour avaler un café amer.

Un matin, en sortant de sa chambre, Emmy aperçoit un petit sac accroché à la poignée de sa porte: un muffin aux framboises. Un muffin encore chaud.

Sous la pluie froide qui perce son abri, puisque l'orme a perdu la majorité de ses feuilles, elle considère le muffin longuement avant de se décider à en prendre une parcelle et à y goûter.

C'est à la fois moelleux et croustillant, presque suret là où la framboise est enrobée par la floconneuse pâte légèrement sucrée. La bouchée fondante l'envahit d'une puissante nostalgie, comme si elle avait jamais été bercée contre une poitrine généreuse, enveloppée, en parfaite sécurité. Emmy a le réflexe violent de rejeter ce qui la déstabilise, mais comment se priver d'un tel enchantement ? Si encore le canard pouvait en profiter. Elle refuse de céder à l'écureuil qui rôde en compagnie des pigeons.

Elle ralentit son rythme, fait durer le plaisir et se garde bien d'engloutir voracement le cadeau. En savourant, elle se demande comment avertir madame Pépin de ne plus lui offrir sa cuisine. Parce qu'elle ne supporte pas les dettes et qu'elle ne peut rien donner en retour. Emmy ne voit pas comment expliquer son refus sans heurter les bonnes intentions de sa propriétaire.

Le problème lui paraît si grave qu'il assombrit sa dernière bouchée et la rend quasiment désagréable. Il faut refuser ce genre d'attentions, c'est tout ce qu'elle sait.

Peu importent les pourquoi, les raisons. Elle s'en fout. Quitte à partir de cet endroit pourtant parfait, Emmy ne désire que son silence et sa paix, loin de toute autre forme de douceur.

Elle débat le jour durant de la meilleure façon de faire comprendre cela à la bonne dame.

Finalement, elle arrache une précieuse feuille de son calepin et y inscrit ce qu'elle a trouvé de mieux : *Merci. Mais non.*

Elle range le papier dans le sac d'origine de la gâterie et l'accroche à la porte en haut des escaliers, celle qui donne sur les appartements de madame Pépin.

Cette nuit-là, elle rêve d'une longue salle remplie de lits vides, comme un hôpital déserté.

Ses pieds gelés ne se réchauffent pas dans ses mains. Elle court, pieds nus, d'un lit à l'autre en cherchant frénétiquement. Elle écarte la mince couverture de chaque lit et ne trouve jamais personne. La salle glaciale est vide. Comme tous ces lits.

Elle se réveille suffocante, les pieds froids et le cœur en chamade. Un cauchemar. Rien d'autre.

Un jour vague ternit le ciel, l'égratigne de gris. La lumière sans le soleil prend des allures fades. Pas de rose, pas de rouge ce matin. Un jour sans gloire, mais sans pluie.

Comme sa vie.

Elle sort avant que madame Pépin ne s'affaire à produire les odeurs qui lui arrachent le cœur sans raison.

Finalement, elle s'accommode mieux de la misère — sous toutes ses formes.

~ ~ ~

Le lendemain de sa soirée de larmes, Jacky lui avait tendu une longue écharpe en laine ultra douce, quelque chose de très enveloppant qui avait gardé son parfum. Devant l'air ébloui d'Emmy, elle avait dit: « C'est pour vous remercier de m'avoir sacrifié votre soirée… pendant que je m'apitoyais sur mon sort. »

La règle était stricte dans cette résidence privée: pour échapper à la moindre critique, on y interdisait les cadeaux, sauf à Noël et aux anniversaires. Ce qui n'empêchait pas la plupart des employés d'empocher de généreux pourboires toujours dissimulés. Emmy avait posé une main caressante sur la fibre luxueuse. Jacky avait balayé les arguments qu'elle n'avait même pas encore exprimés: « J'en ai plus besoin ! Je ne sortirai plus d'ici, vous le savez aussi bien que moi. Avez-vous vraiment envie de voir la directrice ou le docteur Samson s'en emparer le jour où je vais lever les pattes ? On constate le décès en fouillant discrètement les tiroirs, ici… Quoi ? Vous ne le saviez pas ? Rien de franchement choquant, on n'arrache quand même pas l'alliance du doigt de la morte, mais les détails, les petits superflus que la famille éprouvée ne remarquera pas… pourquoi se gêner ? Un endroit où on affiche la pureté des intentions en interdisant les cadeaux, ça m'a toujours paru suspect. Pas à vous ? »

Non, pas à Emmy. Son statut était trop incertain pour risquer le renvoi. Sa compétence ne s'appuyant sur aucune formation, sa tolérance et son respect des règles devaient donc être sans faille.

Comme si elle suivait sa pensée, Jacky avait ajouté : « Si je vous demandais la faveur de laver l'écharpe à la main et que vous oubliiez de la rapporter, ce serait mieux, non ? Vous l'emportez pour me rendre service, et vous ne la rapportez pas se faire manger des mites dans le fond du tiroir, toujours pour me rendre service. »

Le jour de son départ de Montréal, au lieu de la bouchonner au fond du sac bleu, Emmy avait enroulé la longue écharpe de cachemire autour de son cou. Rien ne lui avait paru plus réconfortant.

~ ~ ~

Le sac à la poignée de sa porte est très léger et cela rassure en partie Emmy.

Madame Pépin n'est pas du genre à se satisfaire de si peu qu'un refus, aussi poli soit-il. Elle a écrit, avec une graphie remplie d'élégants déliés : *Vous n'avez qu'à me dire à quoi vous êtes allergique, je ferai attention. Bien à vous, Raymonde Pépin.*

Un chat roulé en boule décore la feuille où est inscrit en haut de page : *Un mot de Raymonde.*

Emmy trouve la chose infiniment luxueuse. Le message, lui, l'intrigue au plus haut point : pourquoi serait-elle allergique ? Parce qu'elle ne veut pas manger les douceurs de la dame ? Raymonde Pépin lui invente une excuse parce que c'est impensable de refuser un tel cadeau sans raison ? Que peut-elle dire, maintenant ? Votre nourriture est trop bonne pour être avalée sans danger ? Je suis allergique à la générosité ? Je préfère me priver maintenant plutôt que de ressentir le manque plus tard ?

« Vous ne voulez pas que j'existe à vos yeux ? »

Page 9 du calepin. Noël 2017. Peu de temps après son arrivée, Jacky avait longuement parlé de la nécessité du partage. Elle avait l'air de penser que les autres employés n'attachaient pas autant d'importance qu'Emmy au bien-être des bénéficiaires. Au réel bien-être, celui qui dépassait l'axe d'un oreiller ou la fermeté d'un Jell-O.

« Vous ne voulez pas que j'existe à vos yeux ? C'est ça ? Je suis âgée, esseulée, malade, mais encore vivante, Emmy. Je ne suis pas qu'un corps affaibli, en perte de vitesse. Alors, traitez-moi comme un être humain complet et faites-moi la grâce de m'accorder que mon esprit est toujours là. J'ai bien assez de mon fils pour me décérébrer. »

Emmy n'avait pas compris un mot de ce qu'elle disait. Elle avait seulement saisi que quelque chose clochait et que ça dépendait d'elle, de son attitude à elle. Mais elle ne voyait pas du tout en quoi ou comment remédier au problème.

Muette, elle s'était tue et avait attendu les ordres. Ou un indice de ce que Jacky désirait. Exister ? Elle ne pouvait pas avoir dit ça ! Le monde entier existait à ses yeux, et elle, plus que quiconque. Trop, beaucoup trop pour sa capacité d'absorption.

Très énervée, Jacky avait insisté : « Dites quelque chose, Emmy ! Arrêtez de me regarder comme si je vous faisais du mal. Je suis en train de vous dire que vous m'en faites ! C'est blessant d'être traitée comme un vase fragile avec rien dedans, vous ne pensez pas ? »

La seule chose qui lui était venue, c'était de balbutier : « Le vide, c'est moi. »

L'exaspération de Jacky avait cédé la place à la surprise. Ses yeux vifs fixaient Emmy, ils avaient l'air de chercher un sens qui lui avait échappé.

« Je vous demande pardon. »

C'était venu après un silence interminable, alors qu'Emmy cherchait justement quoi dire pour s'excuser de ce vide si peu convenable.

Jacky n'avait rien ajouté.

Emmy ne comprenait même pas ce qu'elle devait pardonner.

Leur seule dispute. La seule fois où Jacky lui avait reproché quelque chose.

Pour Emmy, cette chose était sa façon de vivre.

Comment un muffin, si délicieux soit-il, peut-il ressusciter un tournant aussi dramatique à ses yeux ?

Emmy sait comment réagir à la mesquinerie, à l'abus, à la brutalité même.

La bonté la terrifie.

Elle inscrit : *Merci, madame Pépin. Mais beaucoup trop de choses pour une liste.*

~ ~ ~

À mesure que la saison froide s'installe, Emmy agrandit son cercle. Elle quitte les abords de la rivière pour s'asseoir dans la grande salle de la bibliothèque municipale. Elle préfère y passer ses journées plutôt que de rester dans sa chambre. Quand le murmure ambiant l'engourdit trop, elle se lève et sort marcher. Elle arpente ainsi toute la ville... qui n'est pas si grande.

Elle repère ce dont elle peut éventuellement éprouver le besoin : le magasin de seconde main pour un manteau plus chaud ou des bottes, une maison de retraite où elle pourrait offrir ses services si son pécule ne suffit plus, l'église pour se mettre à l'abri de la pluie... mais elle est fermée la plupart du temps, contrairement à une époque où ce lieu représentait toujours une solution temporaire à l'errance. Dieu ne reçoit plus à toute heure. Emmy s'en fiche, elle trouve la bibliothèque beaucoup plus variée et amicale que les lieux saints.

Elle feuillette les magazines, mais surtout les livres de documentation, particulièrement ceux qui offrent des planches d'illustrations en couleurs.

Elle passe des heures à examiner les différences entre certains oiseaux, certains animaux. Une employée ayant remarqué ses préférences l'a même aiguillée vers les DVD documentaires de la vie animale et Emmy est en voie d'épuiser les réserves de la bibliothèque. En lui tendant pour la troisième fois un DVD, l'employée lui suggère de remplir un formulaire pour commander ce qu'elle aimerait regarder. Elle ne jure pas que ce sera acheté — les budgets sont limités — mais ça vaut la peine d'essayer.

En s'installant dans son cubicule, les écouteurs sur la tête, Emmy se demande pour quelle raison ses désirs seraient pris en considération. En échange de quoi.

~ ~ ~

Après sa violente sortie, Jacky n'avait jamais plus élevé la voix ou réclamé avec force l'attention d'Emmy. Une fois ses excuses acceptées, Jacky avait plutôt considéré cette préposée avec davantage d'attention.

« Pleurer, se mettre en colère contre la mauvaise personne comme je l'ai fait, ça ne vous arrive jamais, je me trompe ? »

Emmy souriait sans rien expliquer. Bien sûr que non, elle n'avait aucune raison de pleurer ou de rager. Elle finissait d'essuyer les commutateurs, les poignées, les rampes de métal. Jacky l'observait : « Vous êtes la seule à le faire, vous le savez ? »

L'épidémie de gastro avait sa source dans l'hygiène du lieu, pas seulement celle des personnes, et cela, Emmy le savait. Elle essuyait tout sur l'étage. Constamment. Avec une maniaquerie qui irritait ses collègues moins scrupuleux. Leur étage était le seul exempt d'infections nosocomiales qui affectaient la plupart des endroits de soins prolongés. Le seul où l'eau de Javel régnait avec autant de puissance, Emmy ayant la conviction intime que désinfecter les poignées de toutes les portes, les lunettes de toutes les toilettes, la robinetterie sans oublier la manette de la chasse d'eau pouvait enrayer la propagation des germes. Munie de gants de caoutchouc, elle se démenait comme si les virus voulaient l'attaquer personnellement.

« Vos obsessions nous rendent service, Emmy, laissez personne vous les reprocher. »

Essoufflée, agitant de sa main gantée le chiffon avec lequel elle traquait l'ennemi, elle avait répondu : « Mon travail. »

Une mèche de ses cheveux s'était détachée et lui barrait le front en chatouillant son nez ; d'un geste de l'avant-bras, elle l'avait écartée. La mèche était retombée exactement à la même place.

« Venez ici, je vais la fixer. »

Les gestes étaient délicats, la mèche replacée dans la barrette en un rien de temps.

« Voilà ! Vous pouvez désinfecter tout l'étage, elle ne vous embêtera plus ! »

Cette fois, le sourire d'Emmy avait été franc, presque rieur.

Ce soir-là, en rentrant à l'appartement, elle avait trouvé Ghyslain affalé sur le sofa, le sac de chips au vinaigre coincé entre ses cuisses et la bière à la main. Il s'était plaint qu'elle rentrait tard et qu'il n'avait pas mangé. Tout était si prévisible avec lui : l'accueil désagréable, le rapide accouplement qui suivait pour lequel il ne faisait qu'enlever le bas de ses vêtements, le tout ponctué d'une tape sur les fesses et d'un

« bonne fille » qui honorait davantage sa soumission que son dynamisme. Ghyslain avait de l'énergie sexuelle pour deux, inutile d'en rajouter.

Une fois la chose réglée, Emmy s'activait à la cuisine. Elle ne savait préparer que des repas grossiers, passablement roboratifs, du genre de ceux que *Chez Tony* proposait, son apprentissage culinaire s'étant limité à ce restaurant.

Ils mangeaient sans parler, accompagnés du son tonitruant de la télé où un jeu-questionnaire enthousiasmait tout le public invité, mais pas eux deux. Une fois les assiettes vidées, le rituel continuait. Ghyslain s'octroyait son « heure de relaxer » en allumant un joint de cannabis et Emmy, une fois la cuisine impeccable, gagnait la chambre.

En se préparant pour la nuit, elle avait noté avec plaisir que la mèche replacée par Jacky avait tenu bon jusque-là, comme promis.

La plus belle qualité de Ghyslain à ses yeux, c'était qu'il s'endormait dans le salon et qu'une fois sur deux, il lui épargnait sa présence et ses ronflements.

Une fois couchée, Emmy avait été surprise de constater que le geste fugace, à peine effleuré de Jacky lui avait laissé une si forte impression de complicité.

~ ~ ~

Étrangement, depuis qu'elle loge chez madame Pépin, les nuits d'Emmy sont plus agitées. La sensation d'étouffer la réveille souvent et elle est envahie d'une incompréhensible terreur, comme si un cauchemar la hantait. Elle n'a souvenir d'aucun rêve, pourtant. Rien ne lui manque, elle considère même cette chambre comme le comble du luxe et l'angoisse de devoir la quitter par manque de ressources ne dure pas : elle sait que le prix est raisonnable et que son travail pourrait lui permettre de la garder.

Elle n'a aucune tendance à l'introspection, c'est Jacky qui adorait se livrer à cette guerre intérieure. Elle se lève donc et attend patiemment que le jour casse le moule de la nuit. Que les fantômes s'enfuient, quels qu'ils soient. Que la lumière revienne.

Assise dans son fauteuil, elle regrette de ne pas savoir tricoter. Les bénéficiaires qui s'adonnaient à ce passe-temps lui paraissaient tellement sereines ! Elles avaient l'air songeuses en agitant sans cesse leurs mains.

Emmy prend l'étole de laine de Jacky, en couvre ses épaules. Depuis longtemps, la fragrance a disparu, mais au seul toucher duveteux, Emmy se rappelle l'odeur citronnée si discrète.

Elle se demande si le confort lui convient. Si ce n'est pas justement la fin de certains soucis de survie qui la tenaille et raccourcit ses nuits.

« Il y en a qui préfèrent être au fond du trou, Emmy. Comme ça, pas de surprise, on est à l'abri du pire. Du mieux aussi, remarquez. Mais ça, encore faut-il avoir une idée de ce que c'est ! »

Emmy n'avait pas osé lui demander de qui elle parlait.

Quand c'était stupide ou insensé, c'était pour elle. Il lui semblait impossible que Jacky ait pu se traiter comme ça.

~ ~ ~

« Faut-il attendre d'être privée d'une présence pour comprendre qu'on la voulait ? J'en ai peur... »

La page 11 du calepin ne portait aucune date.

Pour Emmy, c'est étrange de passer ses journées à ne rien faire. Sa nature travaillante se rebelle contre l'errance, contre l'approximation des journées dénuées d'horaires.

Ce n'est pas Ghyslain comme la routine du travail qui lui manque. Et le jour où elle a inscrit cette phrase, elle savait que ce n'était pas au sujet d'une habitude que Jacky s'exprimait. C'était elle, le sujet. Elle. La surprise d'être l'objet de tant de considération l'avait poussée à noter la phrase.

Le matin est enfin arrivé pour nommer chaque ombre de la nuit et les rendre amicales. Les contours qui semblaient menaçants ne sont enfin plus que des contours. Emmy a dû s'endormir dans ce fauteuil. Elle passe un doigt caressant sur les mots. Jacky avait tort. On sait parfois à quoi on tient et avec quelle force le lien est tissé. Elle a toujours su, dès le départ, que Jacky lui manquerait. Elle aurait préféré la fuir. Ou ne pas laisser les choses aller plus loin. Demeurer dans le confort des relations codées « bénéficiaires-préposée ». C'était la première fois qu'elle se rapprochait particulièrement de quelqu'un. L'indifférence coutumière profitait à chacun, selon elle : à ceux qui finissent leur vie et à ceux qui ont pour travail d'assurer leur bien-être. Ce travail lui allait d'instinct, elle savait comment nettoyer, organiser le lit, la chambre, repousser les obstacles, faire en sorte que la personne soit physiquement à l'aise, peu importe le degré d'inconfort lié à son état. L'ennui, c'est que le bien-être de Jacky allait de pair avec davantage que l'aspect physique. C'était un état d'esprit. Et c'était la première fois qu'Emmy relevait un tel défi. Parce qu'habituellement, elle ne remarquait pas ce degré d'exigence. Et personne n'avait jamais insisté pour être vraiment entendu. Du moins, elle ne l'avait jamais saisi. Jacky était une autoritaire, une cinglante et une redoutable observatrice. Elle devinait le camouflé, analysait sans pitié les intentions des gens qui l'entouraient et elle expédiait son jugement comme on ferme une porte, d'un coup sec. Avec bruit.

Elle tenait au vouvoiement pour bien signifier qu'une proximité de pensée ou une affinité n'entraînait pas de familiarité et que son statut de préposée n'incluait aucune forme d'inféodation. Évidemment, Emmy n'avait rien compris de ce charabia et elle s'était contentée de trouver gentil le fait que Jacky la traite au « vous ».

L'équipe responsable de l'établissement et tous ceux qui détenaient un peu de pouvoir n'aimaient pas Jacky, ils la trouvaient snob et difficile. Emmy se contentait de les écouter émettre leurs commentaires désobligeants en silence. Finalement, ce que Jacky avait de vraiment désagréable à leurs yeux, c'était sa résistance inouïe à la manipulation. Rien, aucune forme de menace n'altérait sa détermination qui en devenait hostile ou pouvait paraître telle. Emmy comprenait sans jamais l'avoir expérimenté que la dignité profonde de Jacky résidait dans cette bataille acharnée contre « l'hypocrisie ambiante », comme elle appelait les soins et le faux souci d'elle qu'on lui témoignait.

L'ardeur à vaincre les germes et le silence d'Emmy — son « infirmité de communication », comme l'appelait la directrice — constituaient des appâts majeurs aux yeux de Jacky. Avec l'autorité naturelle qui la caractérisait, elle avait jeté son dévolu sur Emmy et ne désirait que sa compagnie.

Emmy, elle, n'avait ni préférence ni affinité, justement. Elle allait là où on lui disait d'aller, sans état d'âme, sans élan ou réticence.

La phrase copiée dans le calepin avait été lâchée comme une défaite, une sorte de constat désagréable. Une inspection du Ministère ayant été annoncée, les membres du personnel sans diplôme ou attestations réglementaires avaient été mis en congé jusqu'à l'arrivée de ces gens qui terrorisaient l'ensemble du personnel. Il fallait les voir remplir les dossiers, constituer des statistiques truquées auxquelles ils n'avaient jamais recours, et décorer les lieux. Les plaies de lit, le deuxième ennemi déclaré d'Emmy après les bactéries, étaient enfin considérées et soulagées dans la mesure du possible. Avant de « partir en congé », Emmy avait dû s'asseoir en compagnie de l'infirmière responsable et avait indiqué sur un schéma du corps chaque endroit où des plaies étaient en formation ou même criantes. Elle lavait chaque personne et pouvait détecter toute rougeur annonciatrice, tout pli inquiétant. Habituellement, à cause de la surcharge de travail de l'unique infirmière, elle prêchait dans le désert. Cette fois-là, sa science des fissures, meurtrissures ou lésions avait été mise à contribution. Jamais elle n'avait été aussi attentivement écoutée.

Pour éviter qu'elle « ne fasse du tort à l'équipe », on avait tenu Jacky ignorante de l'inspection. Emmy n'avait été autorisée à lui communiquer son départ que le dernier jour et l'excuse imposée par la directrice était « qu'un membre de sa famille avait besoin de son "support" ».

« Tu trouves la maladie que tu veux, mais c'est pas nous autres qui te fait partir. Comprends-tu ? »

Devant le silence de cette employée si peu conforme, la directrice avait changé d'avis : « Dis rien. On lui expliquera ça nous-mêmes. »

Jacky n'allait sûrement pas avaler ce genre d'histoire... Emmy l'aurait juré.

« Vous voilà enfin. Votre mère a eu un malaise à ce qu'il paraît. Au moment même où il y a une inspection du Ministère ! Tout un hasard. Les élections s'en viennent sûrement : on fait semblant de se préoccuper des vieux emmerdeurs qui chialent tout le temps. J'ai parlé de vous... la directrice essayait de m'interrompre, mais j'ai insisté sur l'importance de ceux à qui on n'en accorde pas. Les petits métiers, les petites mains, comme on dit. Vous savez bien, ceux qui travaillent dans le noir si ce n'est au noir. Ceux sans qui ces endroits seraient des capitales du désespoir. Votre absence m'a coûté un peu de santé. J'espère que votre mère a récupéré la sienne. Je déteste me priver de vous. J'en dors mal. Harceler les autres, rendre la directrice folle de rage rentrée, ça ne suffit pas pour faire mon bonheur. Vous me bonifiez le caractère, vous vous rendez compte ? Et je ne suis pas attachée qu'à vos compétences, mais à vous. Personnellement, comme on ajoute toujours dans ces cas de sémantique un peu lourde. Mon dieu… faut il attendre d'être privé d'une présence pour com prendre qu'on la voulait ? J'en ai peur… Alors, avez-vous eu du plaisir, au moins ? »

Elle avait trouvé le temps long — bousculer ses habitudes inquiétait Emmy. Et Ghyslain n'avait rien compris à cette soudaine pause. Il l'avait pratiquement obligée à mentir et à confirmer — comme il le craignait — qu'un renvoi ou une mise en garde sévère était responsable de sa présence continue à l'appartement. En quatre jours, il était devenu exigeant et irascible : qu'elle serve à quelque chose si elle ne rapportait pas de cash.

Retrouver l'humour acerbe de Jacky, c'était pratiquement se couler dans la douceur de vivre.

En la bordant ce soir-là, avant de partir, Emmy avait eu un geste impulsif : elle avait caressé la joue ridée de Jacky en lui souhaitant bonne nuit.

Plus tard, dans le métro qui freinait brutalement, l'épaule d'Emmy avait heurté celle de son voisin. Pour elle, ce contact non désiré était un supplice. Ce qui l'avait ramenée à son geste. En comparaison, elle connaissait le corps usé de Jacky dans ses moindres replis, toute son intimité avait été sacrifiée aux soins. Et pourtant… toucher sa joue du revers de la main était quelque chose d'osé, de transgressant aux yeux d'Emmy. Une sorte d'interdit tacite qu'elle avait franchi.

~ ~ ~

En sortant de la bibliothèque, il neige. C'est à la fois joli et égayant parce qu'inoffensif. Les flocons sont légers et fondent en touchant le sol. Aucune menace de tempête. L'hiver dans son pire aspect ne viendra pas tout de suite, Emmy le sait. La neige lui serre pourtant le cœur, elle ignore pourquoi. C'est comme une sonnette d'alarme qui précipite un sentiment de planification nécessaire. Il faut fourbir ses armes, sensation impérative qui n'a aucune raison d'être, mais qui surgit toujours avec la neige.

Elle achète une portion de riz au poulet à emporter et se réchauffe les doigts sur la barquette, le temps de regagner sa chambre.

Son petit nid est chaud et accueillant. Elle mange en fixant les flocons qui tournent autour du lampadaire de la rue. Elle qui ne se pose jamais de questions, elle se demande ce qu'elle fait là, au seuil de l'hiver, démunie et inquiète sans raison.

« Vous êtes une femme étrange, Emmy. Vous êtes un mystère et un livre ouvert pour moi. »

Emmy entend le rire bref qu'aurait eu Jacky si elle lui avait confié que c'était pareil pour elle : elle se sentait un mystère et un livre dont elle voudrait parfois refermer les pages, tant elles sont insipides.

Elle sort jeter les résidus de son repas dans la poubelle publique à proximité. Elle se méfie des rebuts alimentaires qui peuvent attirer la vermine. En rentrant, elle entend un air guilleret d'accordéon qui provient de chez le chambreur voisin. La musique lui plombe le cœur. Sans nausée aucune, elle se sent au bord de vomir.

Si elle pouvait, elle en profiterait pour vomir sa vie.

~ ~ ~

Pourquoi le canard est-il encore là ? Alors qu'elle le croyait enfui vers le sud, il réapparaît et sillonne l'eau glacée dans cette partie calme de la rivière qui va finir par geler. La neige n'est pas restée, comme prévu. Emmy observe les mouvements du canard qui a l'air de vouloir passer l'hiver dans le coin. Son instinct est cassé ou quoi ? Qu'est-ce qu'il attend pour lever l'ancre et rejoindre ses semblables ?

Quand le banc est trop froid, Emmy fait quelques pas le long de l'eau. Ça suffit pour réchauffer ses pieds. Les questions de Jacky trouvent quelquefois des réponses à l'issue de ces journées de *farniente*.

« Vous ne vous attachez jamais à personne, Emmy ? »

À part un canard et une femme qui pose des questions, non. À rien.

~ ~ ~

L'alarme avait été chaude et Jacky l'avait convaincue de ne prévenir personne. Voir Sébastien surgir pour lui offrir ses derniers reproches n'amusait plus sa mère. Le monde médical avait déclaré forfait depuis longtemps. Et le personnel infirmier voudrait à tout prix lui donner ces « soins de confort » qui lui retireraient le peu de lucidité qu'elle avait acquise à grand-peine.

« Si vous pouviez rester et m'aider à traverser la nuit, ce serait merveilleux. »

Emmy pouvait.

Pour bien marquer la différence de statut, elle avait même retiré son uniforme et revêtu son jeans et son chandail. Une fois Ghyslain averti de son absence, l'équipe de nuit se résumant à une infirmière pour plusieurs étages et départements, elle n'avait eu à s'expliquer à personne.

Affaiblie, silencieuse, Jacky avait tenu sa main.

Vers quatre heures du matin, la voix plus basse d'une octave, Jacky avait murmuré : « Vous allez pouvoir rentrer, Emmy. C'est passé. Nous allons pouvoir nous reposer, maintenant. »

Sa main avait quitté la sienne et sa respiration s'était approfondie.

Il avait fallu plusieurs jours avant qu'elle ne regagne son piquant. À ce seul indice, Emmy prenait le pouls de la guerrière qu'était Jacky. Une enveloppe glissée en catimini avait conclu le retour au vif de la mourante : « Pas un mot à quiconque ! »

La somme était rondelette et le mot qui l'accompagnait, extrêmement troublant.

Quand on meurt, on appelle le prêtre, le médecin de l'âme. Il passe après l'autre, celui du corps. À mes yeux, vous incarnez tous les médecins. Et si une âme sort jamais de ce pauvre corps qu'est devenu le mien, je ne ferai confiance à personne d'autre qu'à vous pour ouvrir une fenêtre et la laisser aller.

Traverser la nuit se fait généralement dans une solitude accablante. Comment, pourquoi vous savez y arriver en toute simplicité, je l'ignore. Mais votre présence m'a permis de me tenir debout devant la mort. Et votre merveilleux silence habité m'a parlé toute la nuit. Cet argent n'est pas pour acheter ce qui n'a pas de prix ni pour me permettre de renier ma dette envers vous. C'est pour vous. Quelque chose que votre compagnon ne pourra réclamer et que la directrice ne pourra vous reprocher. Pour vous. En autant que cette personne ait droit à certains égards de votre part. Essayez. Vous êtes si importante à mes yeux, j'espère être en cela contagieuse.

Jacky

~ ~ ~

Petit à petit, la ville se met à clignoter des feux de Noël. En premier lieu, la rue principale où les marchands s'empressent de rappeler aux clients que l'heure de célébrer — qui se traduit par dépenser — est dans l'air. Ensuite, les quartiers se mettent à briller à leur tour, avec plus ou moins d'harmonie, le clinquant étouffant parfois l'esthétique.

Emmy n'a jamais célébré ce temps des Fêtes. La fameuse « magie de Noël » est une notion totalement vide pour elle. Madame Pépin ne l'entend pas de cette oreille et sa panoplie décorative s'avère très réussie. La maison est transformée : toute la rampe de la véranda est parcourue de sapin au cœur duquel de minuscules étoiles argentées sont allumées. C'est discret et si joli qu'Emmy reste plantée sur le trottoir pour admirer.

La porte principale est ornée de pin.

Dans l'entrée, un plateau avec des biscuits au gingembre en forme de sapin est disposé. Un carton avec l'écriture soignée de la cuisinière invitant à se servir est placé devant l'assiette. Le rire de Raymonde Pépin retentit, allègre. Elle sort du salon, la théière à la main : « Vous êtes rentrée ? Venez donc vous asseoir, on admire l'arbre qu'on vient de finir. Il y a un ami, Bertrand, et vos collègues, mes deux pensionnaires que vous connaissez déjà. »

Emmy ne se sent pas très « collègue », mais si elle refuse de jeter un œil au salon, elle craint de trop décevoir cette parfaite logeuse. Les refus doivent se limiter à l'essentiel.

C'est l'odeur qui l'arrête dès son entrée. Cette odeur de sapinage unique. Ce parfum de forêt l'étrangle d'émotion.

« Il est beau, non ? Bertrand a le don de les choisir. Ça a été coupé devant lui, ça vient pas des États-Unis. Je vous présente Bertrand, vous connaissez déjà Tom et monsieur Dupuis. »

Elle n'entend rien. Une sorte de combat intérieur violent exige toute sa concentration. Elle hoche la tête en espérant donner le change, mais tout son être est en mode survie, et elle ignore pourquoi.

Noël n'est rien pour elle. Rien.

Et tout ce qu'elle sait, c'est qu'elle tremble trop pour tenir la tasse que Raymonde lui tend en bavardant. Monsieur Dupuis lui fait signe : « Vous avez eu une grosse journée, on dirait. Venez vous asseoir. »

Mais d'où sortent-ils, tous ces gens ? Emmy ne sait rien d'eux et ils ont l'air très au fait d'elle. Elle tient encore son sac bleu de nylon et la tasse empêtre son autre main. Elle s'assoit à l'extrême bord du fauteuil, elle affiche son « sourire de Joconde », comme le qualifiait Jacky, celui qui donne l'impression que tout est parfait, et elle incline la tête vaguement pour approuver celui qui parle.

Il y a l'odeur capiteuse, mais il y a autre chose. Elle évite de fixer l'arbre parce que le danger d'effondrement vient de là.

Le bruit ambiant suffit à donner à la réunion un ton amical, elle n'a pas à s'exprimer, tout va bien.

Après deux gorgées, elle se lève et remercie poliment.

Elle jette un dernier regard à l'arbre qui trône : sous les branches basses, une crèche minuscule où l'Enfant Jésus est couché sur un lit de paille. Autour de lui ni anges, ni bœuf, ni âne. Même pas ses parents. Autour de lui, une multitude de petits oiseaux colorés qui ont l'air de picorer le sol. De magnifiques oiseaux inoffensifs et bien incapables de garder ou de défendre cet enfant presque nu.

Emmy ouvre la bouche et n'articule qu'un piètre : « C'est… c'est tellement… »

Elle n'y parvient pas. Elle ne sait même pas comment qualifier ce qu'elle voit. Quelqu'un dit « beau » et un autre ajoute « nostalgique » — Emmy tait son « injuste » qui n'a rien à voir.

~ ~ ~

Elle se souvient des yeux cernés et de la toux creuse. Mimine. Sa maigreur lui donnait l'air jeune. Dans le cachot aux punitions, il faisait sombre, évidemment. L'idée étant de semer la terreur afin que jamais plus l'envie ne reprenne les désobéissantes de défier, contester ou refuser les ordres. Emmy avait quatre ou cinq ans.

Mimine… elle ne l'avait jamais vue avant, elle était donc soit beaucoup plus jeune ou plus vieille qu'elle. Neuf ans, mais l'air de cinq ans avec ses bras et ses jambes rachitiques.

« J'ai froid. »

À eux seuls, ces mots définissaient Mimine et c'était la cause de ses éternelles punitions. Elle cherchait à se réchauffer. C'était même l'unique objectif de sa vie. La nuit, dans la salle glaciale du dortoir, Mimine allait se glisser dans un autre lit, en quête de la chaleur d'un corps plus dodu qui dégageait davantage que le sien. C'était inoffensif, sans arrière-pensée, mais c'était défendu. Comme l'était toute forme physique de témoignage d'affection. L'affection était suspecte. L'amour recommandé était celui du Christ sauveur, il ne s'exprimait qu'en prières et en adoration sans transiter par le corps, ce lieu honni où tous les péchés se nichent. Où toutes les tentations vicieuses se cachent.

Grâce à Mimine, la punition était devenue une récompense. Une fois établi qu'elle avait affaire à une inoffensive, Emmy avait ouvert ses bras et reçu un inestimable cadeau :

pour la première fois, elle tenait quelqu'un contre elle, et ce chaton tremblant se rassurait enfin et s'endormait en émettant une respiration rauque. Pour une petite fille punie d'avoir tenté de couvrir l'Enfant Jésus dans la crèche, c'était inespéré.

En sortant du « placard à punition », Emmy avait gagné une mission et, pour la première fois de sa courte vie, elle savait pourquoi elle était là, dans ce pensionnat triste et sévère.

Née de rien, issue du péché le plus méprisé, elle était déjà convaincue de n'être rien. Mimine, en s'endormant en toute confiance dans ses bras, lui offrait ses lettres de noblesse. On pouvait donc servir à autre chose qu'à célébrer un dieu condescendant qui nous méprisait et nous ordonnait de l'imiter.

Le vrai prénom de Mimine était difficile à prononcer — « Maikaniss », qui sonnait très musical quand Mimine le disait. Cela signifiait « Petite Louve ». L'apprentissage de la prononciation avait provoqué leurs premiers fous rires. Elle était à l'orphelinat depuis l'âge de quatre ans, ses parents étant morts peu de temps après son départ. Morts de chagrin, prétendait Mimine, ce qu'Emmy croyait sans peine à mesure que leur affection grandissait. Mimine était Montagnaise… c'était le nom qu'on leur donnait à l'époque, même si eux se disaient depuis toujours Innus. Mais, à l'orphelinat, elle n'était qu'une sauvagesse. Une demi-personne, une mauvaise graine dont il fallait se méfier. « Elles sont rouées », disaient les religieuses en parlant des Indiennes. C'était dit sur un ton sans appel, un ton qui crachait le « rouées », la bouche tordue de détestation.

Mimine dormait dans une salle éloignée, celle des plus grandes. Pour lui éviter des punitions, c'est Emmy qui la rejoignait dans son lit, une fois les lumières éteintes et les religieuses parties. Elle possédait un sens aigu du temps et regagnait son dortoir un peu avant l'aube. Mimine, blottie contre elle, s'endormait parfois sans même parler. Sa toux avait diminué et elle reprenait enfin des couleurs à mesure que ses nuits devenaient chaudes et calmes. Elles ne suivaient pas les mêmes classes, Emmy n'étant pas encore scolarisée, mais Mimine lui montrait les lettres et lui expliquait ce qu'elle apprenait. Puis, la toux était revenue, plus creuse, plus inquiétante. Emmy avait même essayé d'alerter la sœur responsable de l'étage où vivait Mimine. La première question qu'on lui avait posée était pour connaître son âge et la seconde pour savoir de quoi elle se mêlait.

Le soir où Emmy avait trouvé le lit de Mimine vide, une panique sans nom l'avait saisie. Elle l'avait cherchée, réclamée, elle avait supplié pour qu'on l'amène jusqu'à elle si elle était malade. Ce n'est qu'en se taisant et en se montrant « rouée » qu'elle avait enfin trouvé l'infirmerie et une Mimine gelée, malgré un extra de couvertures qui auraient dû la garder au chaud. La sœur infirmière portait le voile blanc des novices et elle avait la douceur d'un ange. Avec elle, aucun besoin de se cacher, il fallait seulement résister à l'envie d'entrer dans le lit de la malade à cause de la contagion.

Emmy comprenait surtout qu'elle pouvait revenir, que la sœur ayant le mot « miséricorde » dans son nom ne la trahirait pas et ne l'empêcherait pas de veiller Mimine.

C'est en passant ses journées à l'infirmerie qu'un soupçon du mal avait été détecté chez elle. Heureuse au-delà de l'exprimable, on l'avait installée dans le lit voisin de Mimine, le temps de s'assurer que la toux n'originait pas de la même source. Emmy avait passé là une merveilleuse semaine à tousser en écho à son amie… mais pas pour la même cause. Alors que son état s'améliorait, Mimine déclinait. Ses beaux yeux devenaient étranges, comme vitreux, et ses lèvres remuaient sans qu'Emmy entende le moindre son. Ce n'est pas sa main, mais ses pieds qu'Emmy avait tenus toute la nuit d'agonie de la petite fille. Ses pieds bleutés, glacés, ses pieds qu'aucun geste, aucune douceur ne pouvait plus réchauffer.

Debout contre le lit, tenant les deux pieds bleus de son amie contre son torse étroit, Emmy avait fixé le petit visage émacié dont les yeux se fermaient tout le temps.

Quand la sœur miséricordieuse avait touché son épaule pour ensuite détacher et déposer les pieds de Mimine sous le drap qui ne serait plus froissé par aucun mouvement, Emmy n'avait pas protesté. Son amie était au ciel, elle le savait. Elle avait rejoint ce dieu dont maintenant Emmy doutait, ce dieu sourd qu'il fallait prier et supplier comme s'il avait jamais montré le moindre intérêt.

Les derniers mots audibles de Mimine n'avaient pas été « mon dieu », mais « neka », ce qui voulait dire « maman ». Emmy trouvait là tout ce qu'il fallait comprendre de dieu, de la vie et de la mort. Elle venait d'avoir sept ans.

Le reste du temps passé dans cette hostile et vénérable institution, Emmy avait remué les lèvres sans jamais plus répéter ces prières incantatoires qu'on lui enseignait. Que dieu ait pitié ou pas de nous, il devrait s'arranger pour régner sans ses prières. Avec la mort de Mimine, dieu avait perdu le mince filet de crédibilité qu'il avait acquis. Ses « servantes », ces religieuses austères et méprisantes n'amélioraient pas le portrait de dieu.

Du haut de ses sept ans esseulés, Emmy considérait que la seule servante de dieu valable était celle en blanc qui soignait les enfants sans dédain à l'infirmerie.

Quelques semaines après la mort de Mimine, le médecin avait déclaré Emmy guérie et probablement « exagéreuse », ce que la novice soignante avait fermement contesté.

Emmy se souvient de la classe où elle apprenait les choses que Mimine lui avait enseignées et de sa détresse le soir venu, quand elle se retrouvait seule dans son lit si froid.

Elle ne sait plus quand ni quel âge elle avait le jour où elle avait demandé à l'infirmerie la sœur qui avait « miséricorde » dans son nom. On lui avait répondu qu'elle était partie, qu'elle n'était pas à sa place dans les ordres.

Emmy, qui ne connaissait des ordres que l'aspect contraignant, était bien d'accord.

~ ~ ~

« Si on savait le poids réel du passé, on s'obstinerait pas tant à le traîner. C'est épuisant et inutile. »

C'était la façon de Jacky de ne pas aborder le sujet de son fils. Après la dernière alarme, Sébastien était soudainement réapparu. Son enquête terminée, Jacky avait obligé la directrice à retirer de son dossier les coordonnées de son fils. Elle avait fait ajouter le nom d'Emmy comme personne à prévenir en cas d'extrême urgence… ce qu'elle considérait comme l'équivalent de l'extrême-onction. La directrice avait eu un haut-le-corps : c'était déplacé, il n'y avait aucun lien de parenté, cette fille était une simple employée. Si elle quittait son travail à la résidence, comment parviendraient-ils à la retracer ? Ça pouvait être mal interprété, il y avait même apparence de manipulation. Alors que son fils…

« Voulez-vous dire que je devrais adopter Emmy ? Pour être bien interprétée ? »

La question avait stoppé toute réplique. La directrice s'était exécutée, la bouche pincée de dépit. Jacky avait ajouté qu'elle lui épargnait le soin de prévenir Sébastien. Elle s'en chargerait elle-même. Elle avait ajouté, suave : « Le pauvre s'en fait trop, vous comprenez ? Je ne veux pas que mon état lui gâche la vie. »

Ce genre de propos, la directrice en raffolait. L'humanité apparente avait la cote auprès d'elle.

Jacky avait prévenu Emmy du changement. Surprise, elle avait fixé Jacky en attendant une sorte d'explication ou du moins, ce qu'elle espérait de cette décision. Un peu bousculée, Jacky avait sorti sa phrase sur le passé en concluant : « Quoi ? Vous n'avez pas de squelettes à traîner, vous ? Des conséquences malheureuses de vos actes irréfléchis ? »

Non. Emmy n'avait rien de tel. Habituellement, elle se tenait loin des êtres humains. C'était parfait pour éviter toute forme de conséquences.

~ ~ ~

Depuis l'inauguration de l'arbre de Noël, Emmy s'astreint une discipline resserrée : elle s'en va à l'aube et ne rentre qu'à la nuit tombée, de crainte d'être happée par quelqu'un de bien intentionné.

Mais quelque chose s'est cassé depuis le choc du souvenir de Mimine. Cette mini petite fille qui avait près du double de son âge et qui lui avait confié l'entière responsabilité de sa survie l'a toujours hantée.

En arpentant la ville, les vieux débats intérieurs qu'elle avait réussi à étouffer reprennent de plus belle. Si Mimine avait été adoptée, si l'orphelinat avait été mieux chauffé, si les parents de Mimine n'étaient pas morts ensemble, si elle avait pu la soigner mieux, Mimine aurait cinquante-quatre ou cinquante-cinq ans aujourd'hui, elle ferait quoi, elle serait où, avec qui…

Emmy sait qu'elle est sur une mauvaise pente, qu'il faut stopper l'attraction du gouffre, que rien de bon ne résultera de cette obsession, qu'elle a fait mille fois le tour de ces questions inutiles.

L'inaction ne lui vaut rien. Il faut qu'elle s'occupe, qu'elle pense à autre chose. Il faut cesser de s'accrocher à une petite fille pour qui elle ne peut plus rien.

« Parler aux morts, c'est le sport préféré des vieux. »

Qu'est-ce qu'elle dirait d'elle qui n'a fait que ça toute son enfance ? Jacky aurait sûrement une de ses phrases cinglantes pour évacuer le désespoir tenace qui la tient. Mais elle aussi avait ses fantômes, Emmy le sait mieux que quiconque.

Assise au *Café de l'église*, une petite gargote sans ambition où elle peut siroter un thé aussi longtemps qu'elle le désire sans être dérangée, Emmy conclut sa journée en se disant que quitter Montréal était bien, mais que s'accorder ce congé, ce temps pour elle l'est beaucoup moins.

Quitter Ghyslain, la routine du faux couple qu'ils formaient et ses désagréments, c'était nécessaire.

Quitter son emploi aussi.

Mais cette impression d'errance, d'inappartenance et de solitude extrême, ça ne l'aide pas à rester en vie.

Elle ne manque de rien, là n'est pas la question, sa chambre est non seulement confortable, jolie et absolument sans insectes, mais elle y dort moins bien, maintenant. La halte est terminée. Comme si ses questions n'arrivaient qu'à gâcher ses maigres acquis. Comme si, de toute façon, le malheur lui collait à la peau et que les sœurs auraient toujours et encore raison : venir du vice, c'est être viciée.

Maintenant que Mimine s'est imposée à sa mémoire, plus rien ne fait le poids dans le réel. Comme si en débarrassant ses jours de ses entraves — le travail, les exigences de Ghyslain, la survie — elle ne retrouvait que le vide dont elle est issue… la seule réminiscence égayée étant les phrases de Jacky notées dans son calepin usé qu'elle traîne partout.

Que ferait-elle, cette combattante, devant le grand rien de sa vie ?

« Pensez-vous vraiment qu'une alliance au doigt, des enfants et assez d'argent pour penser à autre chose qu'en gagner donnent sa valeur et son envergure à une vie ? Voyons, Emmy ! Vous connaissez la vie mieux que ça. »

Elle ne l'a pas écrit, mais Jacky l'a tellement dit qu'elle peut l'entendre sans ouvrir le carnet.

« Ça sert à ça, les liens humains, à entendre l'autre, même quand il n'est plus là. »

Emmy entend parfaitement Jacky. Dix sur dix. Pourquoi n'entend-elle pas Mimine et ses chuchotements joyeux, ses secrets murmurés avant de s'endormir, lovée contre elle ? Pourquoi n'y a-t-il que des pieds bleuis dans ses mains, quand elle évoque son nom ?

Pour l'empêcher de sombrer dans le vide, il n'y a que ce lien ténu, ce petit fil gracile qui murmure « Ma-My » pour « ma Emmy » en jouant dans ses cheveux.

Emmy n'a jamais voulu connaître la mère qui l'avait abandonnée, jamais voulu savoir de quelle sordide histoire de cul elle provenait. Même quand c'était devenu à la mode, quand tout le monde rêvait de retrouver son géniteur, elle n'aurait pas accordé cinq minutes à celle qui l'avait fait naître. Elle ne mérite ni hargne, ni vengeance, ni désir. À l'image du vide qu'elle a créé, elle est vide de sens pour Emmy.

Mais Mimine… même sa tombe, elle ne l'a jamais trouvée. Où on l'a déposée, où son nom est inscrit, elle l'ignore. Et elle a cherché. Elle a harcelé les sœurs pour savoir.

« Rappelée à Dieu », voilà la seule réponse qu'elle a obtenue. Comme un paquet dont le destinataire est absent, retournée à l'expéditeur, à ce dieu ignoble qui décide de tout : qui va rester et qui va mourir. Ça ne lui aurait rien fait, à elle, de mourir ! S'il fallait rappeler quelqu'un, pourquoi ne pas la prendre, elle ? Puisqu'elle ne compte pas. Puisqu'elle vient du péché et que le péché n'appartient pas à dieu mais au diable. Les déchets sont destinés à la poubelle. Le cul avec le sale. L'infect avec la vermine. Comment les religieuses ont-elles pu espérer qu'elle s'amende et rêve de ce dieu qui l'avait condamnée avant même qu'elle respire ? Comment ces pauvres femmes en extase devant dieu ont-elles pu la traiter comme un mal alors qu'elle était une enfant qui ne savait rien de ses origines honteuses ? N'être rien. Naître de rien et ne rien devenir de valable. Condamnée en partant par ce despote divin qui l'a rejetée et qu'elle doit implorer à genoux pour un peu de pitié.

Après la mort de Mimine, Emmy n'a plus imploré, elle a mimé les gestes pieux en les déshabillant du sens sacré, en les salissant du mensonge… et ça faisait du bien. Même sa communion solennelle, elle l'a maquillée, elle n'a plus jamais dit « je crois en dieu le père tout-puissant » parce que, non, elle n'y croit pas. La puissance est fausse, aussi fausse que ces têtes inclinées, que ces doigts qui triturent les grains bruns du chapelet, que ce prêtre tout-puissant qui se prend pour l'envoyé de dieu et qui se sert des humains pour asseoir son autorité qu'il prétend divine.

Elle s'est enfuie. Elle est partie, comme elle sait si bien le faire. D'abord, se taire, ensuite ne pas écouter, ne pas se lier, rester entière en fermant toutes les issues.

Ça a été long avant qu'elle comprenne que la fuite, le silence et le mensonge sont ses alliés les plus sûrs. Le chemin était caillouteux parce qu'elle s'imaginait qu'il existait une autre petite fille gelée qui espérait ses bras autour d'elle. Une enfant à la peau frissonnante pour lui signifier qu'elle comptait, qu'elle la réchauffait, et qu'elle la sauvait de la tristesse grise de dieu.

Mais personne n'est venu. Et la méfiance et la méchanceté de ses compagnes mal nanties ont régné sur le reste de son enfance.

Personne n'est venu et elle n'a plus regardé personne. Donnant donnant.

Vous ne me montrez pas où est Mimine ? Alors, je la porterai sur mon dos le reste de mes jours, je marcherai avec elle, je réchaufferai ce corps inerte et glacé à jamais.

La seule rage, la seule vengeance qui l'habite encore est celle d'avoir été privée de Mimine. Même morte, même muette à jamais, elle aurait voulu aller lui parler, lui dire que sa douce confiance était la plus réconfortante des pensées. Que tout le bon, le sucré de sa vie tenait dans ces deux années passées à la bercer.

Disparue — évaporée — n'ayant jamais existé. Si sa mère avait été vivante, elle l'aurait réclamée, elle, elle l'aurait enveloppée de ses larmes et l'aurait déposée là où une pierre aurait porté son prénom si doux à prononcer. Et elle lui aurait dit adieu aussi souvent qu'elle en aurait eu besoin.

À sept ans, Emmy ne comprenait pas la mort. Comme à dix ans, elle ne comprenait pas la sexualité. La religion qui se proclame propriétaire de la mort et qui condamne la sexualité est un leurre, une sorte d'ordre inventé pour assagir les révoltes, étouffer les cris, Emmy en est persuadée. Elle n'a jamais crié, jamais pleuré, jamais exigé. Elle a endossé son vide comme si c'était le seul manteau qu'on lui offrait.

Et aujourd'hui, le bâton de la trahison enfoncé dans le gosier, elle voudrait hurler.

Maintenant qu'elle sait ne pas être qu'un vide, elle voudrait bien le sentir.

Elle quitte l'engourdissante chaleur du café et rejoint sa chambre immaculée.

L'odeur du sapinage lui étreint le cœur — elle sait maintenant pourquoi c'était troublant, il n'y a plus de panique. C'était l'odeur du cagibi sombre où on enfermait les « mauvaises têtes », celles qui refusaient de s'incliner.

~ ~ ~

Une santé de fer. Elle a toujours eu une santé insolente. Emmy se lève, range la chambre et se prépare à sortir malgré le temps maussade — la grisaille chargée de pluie froide qui gèle presque contre la vitre. Les grosses gouttes se figent, ralentissent leur descente. La neige menace.

« Êtes-vous vraiment en paix ou c'est un air que vous prenez ? Plutôt convaincant, d'ailleurs… Pouvez-vous me montrer ? »

Jacky avait le don de cerner ce qui clochait. Alors que berner, devenir invisible — ni remarquable ni odieuse — était sa marque, les yeux perçants détectaient le subterfuge. Et ce n'était pas pour l'accuser de mal agir. Jacky n'accusait jamais qu'elle-même.

« Endosser mes responsabilités est mon seul luxe. J'assume, Emmy. À mon âge, on a intérêt à savoir qui on est et à s'arranger avec. »

Elle a mis son manteau, elle est prête à partir, mais rien ne vient : ni destination, ni envie. Même le premier café du jour, celui qui confirme les bontés de la vie, ne lui dit rien. Elle s'assoit, dos à la fenêtre. Savoir qui on est et n'en éprouver que du dégoût, s'arranger avec le vide, Jacky, c'est possible et souhaitable ? Pour qui ? Pour faire quoi ? Si vous aviez su qui j'étais, vous auriez changé le nom de la personne à avertir en cas d'urgence. Il n'y a personne qui appelle le vide à la rescousse, même les cas désespérés.

Laisser les gens croire ce qu'ils voulaient, ne pas expliquer ou redresser une vérité dont elle se fichait avait constitué sa meilleure défense. Emmy avait vu tant de gens se justifier, se donner des motifs honorables ou des excuses crédibles que la joute la laissait de glace. Elle n'y participait jamais. De toute façon, la curiosité de surface de la plupart des gens était simple à contenter. Deux murmures consentants et les voilà confirmés dans leur impression et prêts à la laisser tranquille. Pas Jacky.

« De toute façon, on n'est jamais aussi nul qu'on s'imagine. Les vrais moins que rien, les dégoûtants ne font jamais d'examen de conscience, ils s'estiment au-dessus de tout, au-dessus de nous, dans la sphère des potentats aveugles. »

Elle avait cherché « potentat », comme si souvent avec les termes que Jacky utilisait. Le pouvoir absolu… celui des patrons, des religieuses, des prêtres. Le jour où elle est partie, elle avait treize ans, mais en paraissait davantage. Ça lui avait permis de mieux se cacher. Elle ne sait même plus comment elle a fait tous ces mois pour donner le change, se prétendre plus vieille, se débrouiller. Elle n'a souvenir que de sa fuite, de l'attention extrême qu'elle accordait aux questions ou soupçons risquant de la ramener à l'orphelinat. Elle fuyait les paroisses trop petites et se tenait en ville, où la curiosité des gens était moindre.

Depuis longtemps, elle avait relégué le souvenir de Mimine au fin fond de sa mémoire. Le lien lui paraissait nuisible après coup parce que le solide désespoir dans lequel sa mort l'avait plongée avait engendré un véritable chemin de croix. Elle en avait conclu qu'il valait mieux ne jamais désirer ou se livrer à un tel attachement. Pourquoi s'attacher s'il faut se détacher ? De toute façon, elle gardait ses questions pour elle depuis l'erreur qu'elle avait commise de demander aux sœurs pourquoi dieu avait rappelé son amie. On l'avait envoyée rencontrer le prêtre qui n'avait rien trouvé de mieux que de la peloter. « T'as du chagrin, de la grosse peine ?... Viens ici, viens ma jolie, je vais te bercer... »

Le chagrin avait laissé place au dégoût. Elle avait rayé Mimine de sa pensée pour ne pas qu'elle soit témoin des consolations qu'on lui offrait avec insistance. Elle s'était consolée toute seule. En silence. Le prêtre, lui, avait multiplié les approches. Tout lui était bon pour la voir en particulier. Un jour, alors qu'il dirigeait un examen de conscience en classe, elle avait relevé la tête et avait demandé en le fixant méchamment ce que c'était « l'impureté ». La classe avait ri, il l'avait expédiée à la chapelle en attendant de pouvoir lui expliquer.

La queue noueuse au fond de sa gorge, les joues inondées de larmes de noyade, elle avait compris. Mais il avait tenu à lui expliquer souvent. Sans manquer de lui pardonner ensuite ses péchés d'impureté.

Quand, à treize ans, elle avait fui l'orphelinat, elle était encore vierge, mais sans le savoir. Le potentat avait préservé ce gage de pureté en exploitant toutes les autres possibilités qui ne laissaient aucune trace. Pour Emmy, la sexualité était une chose cachée, contraignante et désagréable qui ne faisait du bien qu'à l'autre et qu'elle endurait pour avoir la paix. En silence.

Elle n'avait jamais éprouvé le moindre désir, encore moins du plaisir. Tout ce qui touchait au sexuel constituait une sorte de laissez-passer pour survivre. Grâce à cette envie qui tenaillait les hommes, elle obtenait un toit et une sécurité limitée. Sans jamais remettre en question cet ordre des choses, Emmy avait trouvé beaucoup plus supportables les agissements des hommes qui avaient succédé au prêtre de sa petite enfance. Tous semblaient la trouver formidable. Il y en avait même qui balbutiaient des mots éperdus au cœur de ces ébats. À ses yeux, la chose demeurait un mystère opaque mais pratique. Tant que cela se résumait à un seul homme à la fois et à ces quelques minutes contrariantes, ce n'était pas trop cher payé. Si les hommes trouvaient à s'abreuver à son vide, tant pis pour eux.

Depuis une heure, le manteau sur le dos, les mains croisées sur son sac bleu, elle se demande quoi faire de sa journée. Comme elle aimerait retrouver la routine du nettoyage, celle des bénéficiaires et de la résidence. Ces gestes simples qui apaisent, qui rangent et nettoient, ces gestes qui accomplissent le miracle de calmer l'angoisse, de lisser les plis de la vie aussi facilement que ceux des draps du lit.

« Quelle experte vous êtes ! On dirait que rien ne vous répugne dans le corps décati des vieux ! »

Emmy avait hoché la tête avec un vrai sourire, très franc : les corps robustes la terrorisaient et les corps accablés du poids des années lui donnaient de la force, celle de les soutenir. Pour faire rire Jacky, elle lui avait resservi une de ses phrases rituelles : « Je vous prends comme vous êtes. Essayez ! »

Le rire de Jacky était une récompense en soi.

Sa chambre est impeccable, elle a lavé ses draps la veille, elle ne peut quand même pas retourner à la salle de lavage pour le plaisir de mettre de la monnaie dans la machine !

Dans le placard à balai du corridor, tout est fourni pour garder son espace propre. Armée d'un seau rempli d'eau savonneuse, à quatre pattes dans les escaliers, Emmy traque la plus infime saleté — les plinthes, les poignées de porte, les radiateurs, tout y passe.

Du haut de l'escalier, une Raymonde Pépin éberluée se tient immobile, le panier à linge dans les mains : « Un accident est arrivé ? »

Emmy essaie de prendre un air dégagé : « Non, non… J'avais juste de l'énergie à dépenser. »

L'énergie du désespoir.

~ ~ ~

Il y a dix ans, quand le Canada a ouvert la Commission de vérité et réconciliation, Emmy avait commencé à suivre les travaux, écouté certains témoignages. La chose l'avait révoltée. Le pensionnat de sa petite enfance était donc un de ces lieux pour les Autochtones, pour les « blanchir ». Si elle s'était trouvée parmi eux, c'était uniquement parce que son origine égalait celle des Premières Nations : elle n'était rien. Elle se rappelait les visages de ses compagnes et très peu d'entre elles avaient ses traits.

La dernière personne qu'elle avait écoutée témoigner était une des mères innues qui relatait combien d'enfants lui avaient été arrachés. Comment elle les avait cherchés. Combien d'années elle avait espéré leur retour pour apprendre finalement qu'ils étaient morts sans sépulture, qu'on les avait rayés du monde des vivants sans seulement le noter dans un registre, sans identifier le lieu où leurs corps maltraités, abusés, avaient été jetés sans dignité.

Emmy avait appris du même coup que les prêtres avaient généreusement utilisé les enfants sous leur garde pour assouvir leurs penchants odieux. Impunément. Qu'elle était loin, tellement loin, d'être la seule à avoir connu leurs petits arrangements sordides avec leur dévorante sexualité et leur fausse conscience.

Cette mère innue pouvait être celle de Mimine. Pour elle, elle était celle de Mimine et les larmes qui coulaient de ses yeux bouffis par l'alcool qu'elle avait ingurgité toute sa vie pour engourdir les questions demeurées sans réponse, ces larmes hurlaient que les mains du prêtre et celles des religieuses complaisantes l'avaient atteinte et la tenaient encore sous leur joug.

Emmy avait éteint la télé avant que ses larmes à elle ne montent du tréfonds de sa mémoire et la noient. Mimine avait donc eu un père et une mère qui l'avaient cherchée. Maigre consolation. Ces Autochtones mortes dans la petite enfance, épuisées, affamées, petits forçats d'une armée formée pour obéir et être de corvée, ces enfants innocentes de l'orphelinat à qui on a retiré leur langue, leur culture et jusqu'à leur origine légitime, on ne s'en souciait pas davantage quand elles étaient devenues les putains qu'on les avait entraînées à devenir. Elles pouvaient toutes crever dans les bras de leurs clients, personne ne s'en souciait. Personne ne les cherchait, mortes ou vives.

Ce soir-là, en regardant d'un œil froid l'homme qui s'agitait entre ses cuisses, Emmy s'était dit qu'elle valait la même chose que ses compagnes d'infortune de l'orphelinat et qu'elle avait eu recours toute sa vie aux mêmes expédients qu'elles pour survivre. Sauf pour la drogue ou l'alcool qui exaltaient sa détresse et lui retiraient sa combattivité. Pour se sauver, pour ne pas crever, mieux valait avoir les jambes solides.

Après ce témoignage, après cette mère innue qu'elle avait regardée pleurer en hoquetant les prénoms oubliés de ses enfants, Emmy n'avait plus suivi les comptes rendus. Elle les avait fuis tout comme elle s'était échappée de la prison du pensionnat. Sans jamais se retourner.

La première fois qu'elle avait vu Jacky, celle-ci lisait son journal et elle l'avait replié en maugréant « qu'ils s'achetaient tous une bonne conscience pour pouvoir les oublier encore pendant cent ans. Jusqu'à ce qu'il n'en reste plus un seul pour leur rappeler leurs crimes». Jacky l'avait prise à témoin alors qu'elle comprenait à peine de quoi elle parlait.

« Combien vous pensez qu'ils vont en retrouver ? Combien d'assassins de ces femmes ? Ils ne se sont pas bougé le cul pendant dix ans et là, maintenant que le monde entier est au courant, ils vont faire semblant de s'en préoccuper ? Des hypocrites finis, si vous voulez mon avis. Mais y sont pas racistes, c'est de la déplorable négligence... »

Et ça avait continué pendant dix minutes. Emmy passait la vadrouille, essuyait, lavait avec une énergie galvanisée par son désir de sortir de cette chambre, d'échapper à cette furie vengeresse, de ne plus entendre un mot.

Un silence soudain l'avait figée. Elle s'était retournée vers la femme, certaine qu'une crise cardiaque l'avait terrassée au milieu de sa diatribe. Jacky la regardait, espérant sans doute une réponse à la question qu'Emmy n'avait pas entendue.

D'un ton aimable, posé, elle avait murmuré : « Ça m'arrive d'exagérer. Et de m'excuser. C'est pas des manières. Je m'appelle Jacky. »

Déposer sa guenille, enlever son gant de caoutchouc pour serrer la main tendue au-dessus du journal fripé avait bien pris une longue minute. Mais Jacky avait attendu et plongé son regard sombre dans les yeux d'Emmy pour la remercier de son indulgence. Elle avait promis d'être plus fréquentable... si Emmy acceptait de revenir dans sa chambre. Et Jacky était femme de parole.

~ ~ ~

Raymonde Pépin n'est pas du genre à escroquer ses chambreurs. Elle aime que les choses soient claires et honnêtes. Si les gens sont satisfaits, ils restent. Si quelque chose cloche, on s'explique, on règle le problème et on repart du bon pied. Elle n'a jamais eu affaire à une locataire aussi singulière qu'Emmy.

Discrète, elle n'insiste pas pour développer un lien qui n'intéresse pas l'autre. Mais cette minutie ménagère dont elle vient d'être témoin la dérange.

Chargée d'un plateau sur lequel le café est fumant, elle frappe à la porte d'Emmy.

« Vous n'êtes pas allergique au café, je pense ? Vous alliez sortir ? Je peux vous retarder cinq minutes ? »

Comme elle n'obtient aucune réponse, elle reste là, le plateau dans les mains, incertaine quant à la direction à prendre.

Emmy triture la ganse molle de son sac, son air contrit induit Raymonde en erreur : « Je ne veux pas être indiscrète, mais… ça va ? Allez-vous bien ? »

L'adversité, le mépris, l'indifférence, Emmy connaît. La curiosité malsaine, la fausse bienveillance qui cherche son profit aussi. Ce n'est rien de tout cela qui se tient devant elle.

« Non. »

Emmy est elle-même stupéfaite de sa réponse. Elle chuchote un « merci » pour en altérer l'effet.

Madame Pépin lui tend le plateau en silence. Emmy se dit que c'est l'odeur du café qui l'a ramollie. Inquiète de la suite, déjà sur la défensive, elle veut refuser et cherche comment quand Raymonde Pépin murmure : « Je vais le laisser ici. Vous faites comme vous voulez. Mais je vous déconseille de sortir, il fait trop froid pour votre petit manteau. Inutile d'ajouter la maladie, vous pensez pas ? C'est assez dur comme ça. »

Elle pose le plateau. Elle va sortir. Emmy voudrait lui demander de rester, mais elle n'y parvient pas.

« Qui êtes-vous ? »

C'est tout ce qui lui vient, tout ce qu'elle réussit à articuler. Madame Pépin la considère avec une bonté confiante : « Quelqu'un qui voit bien que ça ne marche pas comme vous voulez. Quelqu'un qui sait qu'on peut être découragé, mais que ça ne durera pas. Ça va vous paraître impossible à imaginer, mais les choses peuvent s'arranger. Elles vont s'arranger.

— Vous pensez… »

La question n'en est pas une. Les yeux tristes d'Emmy fixent la fenêtre où la pluie est devenue flocons. Une chance qu'elle avait attendu le printemps avant de fuir l'orphelinat. Elle serait morte de froid sinon. Depuis si longtemps, elle a froid.

Madame Pépin la fait sursauter en la ramenant à aujourd'hui : « Je suis tout près. En haut. Je suis là. Dites-vous bien que vous n'êtes pas seule. »

La porte est refermée avec la même douceur que ces mots ont été prononcés.

Trop de douceur, cette chose insensée à laquelle Emmy a renoncé après la mort de Mimine. A-t-elle fait tout ce chemin pour affronter la seule terreur de sa vie ? La douceur qui, ensuite, nous manque à jamais. Cette drogue dure après laquelle on se languit en gémissant comme une bête, cette chaleur tout entière réfugiée dans les bras de quelqu'un d'autre, dans la voix qui murmure des choses chantantes, des histoires où la joie danse, où la fin n'existe pas. Ma-My. Ma-My… Certaine de délirer, Emmy prend le café chaud de madame Pépin.

« Vous n'êtes pas toute seule… »

Pourquoi la croirait-elle ? Parce qu'en haut, un sapin abrite un Enfant Jésus en couche gardé par des oiseaux incapables de le protéger ? Des oiseaux qui s'enfuiront au moindre bruit ?

Devant le café qu'elle tient à deux mains près de sa bouche tordue de peine, elle répète « Ma Mimine » qui suivait toujours le « Ma-My » caressant.

~ ~ ~

La science de Jacky était inépuisable. Se tenir informée, tout savoir et en tirer des conclusions — « même brutales s'il le faut » — constituait le cœur de sa vie. Toute sa révolte était documentée et s'appuyait sur des faits répertoriés et analysés. Contrairement à Emmy, et malgré la maladie qui rongeait son cœur, elle ne fuyait devant aucune réalité, si sordide soit-elle. L'enquête sur les femmes autochtones assassinées n'était qu'un des sujets de son inébranlable énergie combattive. Vitupérer était son métier !

Jamais Emmy n'avait révélé quoi que ce soit de son passé, mais devant les propos de Jacky, la tentation avait été forte.

Parce qu'elle partageait avec cette femme la certitude que personne, jamais, ne rendrait justice à des prostituées issues des nations autochtones. À aucune prostituée, d'ailleurs, quelle que soit son origine. Les rois de la justice défendraient les clients, les excuseraient, les expliqueraient, justifieraient leurs désolantes mœurs bien avant de considérer celles qui s'y soumettaient.

« Quels qu'en soient les motifs — avait déclaré une Jacky furieuse — personne n'a le droit de cracher sur une putain qu'un homme si honorable paye. Parce que déjà, payer, c'est cracher. Et eux ne payent jamais pour leur morale élastique. Si ça se trouve, ils sont au sommet de la pyramide, au Parlement ou en train de siéger dans une cour de justice. »

Pourquoi elle les haïssait, Emmy l'ignorait. Mais de rebutante et apeurante, la guerre volubile de Jacky était devenue attirante pour elle. Comme un porte-voix qui prenait en charge ses sentiments les plus nocifs et les plus réprimés.

Contrairement à la plupart des clients de cet endroit, Jacky ne donnait pas d'informations sur sa vie, ses origines ou sa famille. En dehors de ce fils détesté — apparemment parce qu'il en voulait à son argent — rien n'avait filtré de son passé. Et encore, si Sébastien ne s'était pas présenté à la résidence, Emmy était certaine qu'elle n'en aurait rien su. Cette exemplaire discrétion lui convenait parfaitement. Jamais elle ne s'était sentie obligée de révéler quoi que ce soit de sa vie. Pas plus qu'elle ne désirait en apprendre sur celle de Jacky. Elles étaient faites pour s'entendre.

~ ~ ~

En remontant le plateau dans la cuisine, Emmy ne parvient même pas à savoir si elle désire que madame Pépin s'y trouve ou non. Démunie devant une douleur qu'elle n'arrive ni à juguler ni à exprimer, elle sait seulement que cette femme qui n'a pas peur de la détresse l'intrigue.

Raymonde a étalé une pâte sur l'îlot et elle façonne des biscuits avec un emporte-pièce en forme de sapin. Elle agite une main enfarinée vers le comptoir : « La cafetière est juste là ! Vous vous servez. »

Emmy s'exécute alors qu'elle n'avait plus envie de café.

Raymonde continue son travail sans la regarder.

« Quand je vous ai vue la première fois, j'ai eu une drôle d'impression. J'ai pensé que vous veniez de quitter un mari violent ou… excusez-moi, mais que vous sortiez de prison. À cause du bagage. Vous en aviez pas. Personne n'est jamais arrivé ici avec si peu de choses. Mais j'ai décidé de vous faire confiance. Et j'ai bien fait. »

Elle pivote, la tôle à biscuits bien garnie, et lui fait signe du menton vers la cuisinière. Emmy ouvre la porte du four et madame Pépin y dépose son travail.

Elle continue à étendre sa pâte et sort une autre tôle à remplir : « Vous cuisinez ? »

Emmy fait non, toujours dans le dos de Raymonde qui se retourne en souriant : « Venez ! Je vais vous montrer. C'est facile, c'est la première chose que je fais avec les enfants. »

Les mains dans la pâte farineuse, dans cette cuisine où l'odeur de gingembre et d'épices dégagée par la cuisson les enveloppe, Emmy triture la pâte et forme de parfaits biscuits.

Pas un instant madame Pépin ne cherche à en savoir davantage sur les raisons de sa présence dans cette ville ou sur ses soucis. Elle n'épilogue pas davantage sur cette confiance qu'elle a placée en sa chambreuse. Elle a dit ce qu'elle avait à dire et ne demande rien.

Petit à petit, les biscuits s'empilent et Emmy se décrispe. L'énorme recette est pour une tombola organisée par la paroisse au bénéfice de réfugiés syriens. En formant de petits lots de six biscuits enveloppés dans un papier transparent, Raymonde confie à Emmy le soin d'attacher les rubans rouges sur chaque paquet.

En rentrant ce soir-là, Raymonde s'aperçoit qu'elle a oublié son linge dans la laveuse. Dans la salle de lavage, séchés et pliés, les draps et serviettes forment des lignes impeccables.

~ ~ ~

« Ça va finir en eau de boudin, leur affaire. Ils se sont excusés en faisant un show pas croyable, y vont du même coup envoyer en prison un gars de l'Ouest en réglant rien pour les meurtres des autres. Vous avez vu leur Commission ? Ça parle, ça jase, ça se chicane, ça avance pas. Quand je pense qu'ils ont même pas d'eau potable dans leurs réserves !

Dans un pays où l'eau coule partout, où on réussit à en gaspiller à la tonne pour sortir du pétrole, on empoisonne les Premières Nations avec l'eau ! Faut le faire. »

Jacky avait de la révolte en réserve. Tout lui était sujet à discussion. Quelquefois, elle argumentait en posant des questions : « Votre père vous a pas appris ça ? De quoi y s'occupait ? » ou un solide : « Jamais ma mère aurait enduré ça. Pas la vôtre ? » auxquels Emmy répondait par un sourire encourageant qui donnait l'élan nécessaire à Jacky. Elle attaquait alors un énième sujet sans attendre d'autres formes de réponses.

Au début, le ton de Jacky étouffait ses propos, Emmy avait du mal à passer par-dessus la colère qui soutenait la révolte.

« Écoutez-moi pas. Je suis une vieille femme amère qui a encore beaucoup à apprendre. »

C'était dit sans apitoiement aucun, ce qui était plutôt rare parmi les patients. Chacun ayant de nombreux griefs à étaler et peu de responsabilités à endosser. La « vieille femme amère » avait souvent raison et Emmy notait ses formules lapidaires en espérant attraper le virus de la révolte qui dévorait les forces déclinantes de Jacky.

« Ils me font rire avec leurs belles formules de politiciens véreux ! On ne peut pas régler toutes les injustices, c'est évident, mais les plus criantes, me semble que ce serait possible. Essayer, ce serait déjà quelque chose de noble. »

Une nuit, Emmy avait reçu un appel d'urgence lui demandant d'accourir au chevet de Jacky.

Elle l'avait trouvée paisiblement endormie.

Jacky n'était pas du genre à laisser ce canular impuni. Après avoir discuté « fermement » avec la directrice qui « n'avait rien à y voir », Jacky avait découvert le pot aux roses : Sébastien n'avait ni perdu la partie ni renoncé. Sans réussir à être consulté ou averti en cas d'urgence, il avait quand même extorqué à la bonne dame si bien intentionnée et si sympathique à sa cause le numéro de la personne auprès de qui s'informer... puisqu'on lui refusait les nouvelles les plus urgentes.

Emmy avait haussé les épaules et promis qu'au prochain coup de fil du style, elle vérifierait elle-même auprès de la résidence avant de bouger.

« Que vous ne soyez pas une énervée comme moi, je veux bien, mais être un peu en maudit après un mauvais coup pareil, ça ne vous dit rien ? »

Au contraire, Emmy trouvait la nouvelle franchement bonne : Jacky n'était ni à l'agonie ni morte. Elle ne demandait rien d'autre. De là à l'avouer à l'intéressée, c'était trop pour elle.

De son côté, Jacky avait conclu que Sébastien venait de lui fournir la preuve de la justesse de sa décision.

~ ~ ~

Le premier café du matin est régulièrement déposé devant la porte de la chambre d'Emmy. C'est offert sans un mot, sans obligation apparente. Raymonde a déplacé un petit guéridon et elle pose la tasse dessus. Toujours la même tasse, un *mug* bleu foncé sur lequel est inscrit « Bonne journée ».

Accepter ce cadeau, cette forme de soin ou enfin, la récurrence en action de la phrase « vous n'êtes pas seule » représente une énorme difficulté pour Emmy. Ne rien devoir à quiconque est sa devise. Ne rien demander ayant été celle de sa petite enfance. Ne rien désirer, par contre, était son échec puisque Mimine avait brisé cette loi non écrite qui lui avait garanti une certaine paix.

Emmy prend soin de laver méticuleusement la tasse, de la monter et de la ranger à la cuisine. Elle le fait en catimini, toujours en l'absence de Raymonde dans les parages.

Accepter le café, ça va, mais l'intimité, certainement pas.

« Laissez-moi deviner… vous avez assassiné votre mari et vous êtes en cavale. Vous êtes le chef de la mafia sous couverture… non, vous avez dévalisé des banques et tout donné aux pauvres. Vous avez subi une conversion draconienne et vous vous rachetez en prenant soin des vieux dont personne ne veut s'occuper. Dites-le pas, laissez-moi rêver… chaque fois, ça me permet de m'échapper de la prison de l'âge. Si les jeunes avaient un chouïa de lucidité sur la vieillesse, ils s'occuperaient de leur destin en fermant ce genre d'endroits. Mais on est incapable de se projeter dans le grand âge. Sauf pour se dire que ça ne nous arrivera pas ou qu'on va faire autrement. Quelle prétention ! Même la directrice doit se dire qu'elle va y échapper.

Pourtant, s'il y a quelqu'un qui l'a en pleine face, le grand âge, c'est bien elle ! C'est dommage, on ne sera pas là pour la voir déchanter. »

Comme elle lui manque, cette effrontée de Jacky.

Emmy se demande quel âge peut avoir Raymonde Pépin. Plus qu'elle, c'est certain. La soixantaine bien entamée. Si tout va bien pour elle, le grand âge n'est pas pour demain.

« C'est fou ce qu'un minuscule caillot de sang mal placé peut infliger à un corps… J'aime mieux ça qu'être rongée d'un cancer, remarquez. »

Les gestes lui manquent. Alors qu'elle croyait se libérer de certaines contraintes en partant, Emmy se rend compte que laver, peigner, permettre à quelqu'un de se reposer en toute quiétude, les jambes massées, le dos frictionné, les mains et les pieds aux ongles nets, le drap bien tiré et replié, tout cela lui manque.

Pas plus que Jacky, elle n'aurait pu dire pourquoi ce travail ne la rebutait pas, mais c'était comme ça. Rien ne la dégoûtait dans l'humanité blessée, celle qui boite, la sans-éclat qui ne performera plus, celle qui tremble en tendant la main, celle qui ne peut pas s'échapper en courant.

Ghyslain, par contre, ne lui manque pas du tout. Comme tous les hommes qui lui ont passé sur le corps. Dès qu'elle les quitte, ils disparaissent non seulement de sa vue, mais de sa mémoire. Effacés, les prénoms, oubliés, ces organes dont ils sont si fiers, ces sexes plus ou moins victorieux dont elle portait toujours l'odieux de l'échec s'il se produisait. Ces relations à sens unique où son corps n'était pas sollicité autrement qu'en réceptacle. Aucun, jamais, ne s'est inscrit dans sa tête, encore moins dans son cœur. Pour ce qui est de sa chair... Emmy n'a jamais senti qu'elle était propriétaire de sa chair. Ni de l'effet produit sur les hommes par ce corps qu'elle n'habite qu'en partie, ni de l'usage qu'ils en faisaient.

En arpentant la ville, en marchant d'un pas fouetté par le froid de plus en plus piquant, Emmy sent la fatigue la gagner. Rarement dans sa vie elle a éprouvé ce genre de faiblesse. Et ce n'est pas son âge qui en est la cause, ni l'usage, c'est une sorte de conscience qui descend en elle à mesure qu'elle s'éloigne de Ghyslain, de Montréal, de la vie d'avant. De toutes les vies d'avant.

Elle est essoufflée, non, à bout de souffle. Comme si, depuis cette nuit de printemps de ses treize ans, elle n'avait cessé de courir.

« Dites-moi qu'il vous aime, au moins, cet amoureux. Qu'il prend soin de vous. Je détesterais qu'on vous néglige, Emmy. Moi qui ne suis pourtant pas altruiste, je préférerais qu'on me néglige plutôt que vous. Au moins, je répliquerais. »

Drôle comme Jacky avait tendance à prêter aux autres hommes ce qu'elle détestait tant chez son fils : la rapacité.

Drôle comme elle avait le tour de mettre le doigt sur la vérité.

« Je n'ai pas le pouvoir de changer les choses, mais j'ai celui de les voir. »

Ce n'est que maintenant que les mots de Jacky la frappent autant. Tous ses mots, pas seulement ceux qu'elle a studieusement recopiés. Alors que pas un mot de ces hommes dits intimes ne lui est resté, ceux de Jacky lui reviennent et la soutiennent de façon étonnante.

~ ~ ~

Le corps plié en deux par une quinte de toux interminable, Emmy n'entend pas le léger coup frappé à la porte. Raymonde rebrousse chemin en prenant le café refroidi sur le guéridon. Depuis deux jours, sa chambreuse n'est pas sortie et le café est demeuré intact. Si ce n'était du son caverneux de ses quintes de toux, elle pourrait être partie ou même morte.

Ayant troqué le café contre un bouillon de poulet brûlant, Raymonde retourne frapper en prenant soin de s'exécuter entre deux accès de toux.

La porte s'ouvre sur une femme au nez rougi, aux yeux cernés qui serre son manteau et une longue écharpe grise autour de son corps tremblant.

« Vous n'allez pas sortir, grippée comme vous êtes ? »

Emmy ne comprend même pas pourquoi cette femme lui parle de sortir.

« Retournez vous coucher ! Vous auriez pu le dire que vous étiez si mal… »

En deux temps trois mouvements, elle est débarrassée de son manteau, les épaules recouvertes de l'écharpe, recouchée par une main ferme qui regonfle les oreillers, tire sur les draps, l'enveloppe de couvertures supplémentaires.

Une main fraîche se pose sur son front : « Au moins 103 ! Vous avez ce qu'il faut pour faire baisser la fièvre ? »

Un regard sur la chambre spartiate la renseigne davantage que la dénégation muette de la malade.

« Buvez ! Je reviens. »

Il y a quelque chose de déliquescent à être ainsi prise en charge. Plus Raymonde l'entoure, la soigne, plus elle se sent faible et mal en point. Elle voudrait protester, affirmer que ça va mieux, qu'elle peut prendre le relais, c'est au-dessus de ses forces.

Elle s'enfonce dans un semi-délire, elle tremble de froid, et ne parvient pas à reprendre pied. Trop accablée pour décider quoi que ce soit, elle laisse Raymonde veiller sur elle, la nourrir et lui donner du sirop comme si elle avait trois ans. Elle en pleurerait.

Cette femme possède une tendresse naturelle à laquelle il est bien difficile de résister.

De bouillon en soupe, de sirop en Tylenol, Emmy émerge lentement.

« Venez, je vous ai fait couler un bain, ça va vous faire du bien. »

Quand elle regagne son lit, les draps frais sont comme une bénédiction. Emmy fronce les sourcils : « Je vais m'occuper du lavage. Je peux…

— Bien sûr. Vous pourriez faire la vaisselle aussi et partir un pot-au-feu pendant que votre brassée sèche… »

Le rire qui se change en toux fait presque regretter ses paroles à Raymonde. Mais c'est la première fois qu'elle entend rire Emmy depuis qu'elle est tombée malade. Depuis toujours, en fait.

« Ça va aller mieux, promis. Reposez-vous. Le pire est passé. Rien de grave ne va arriver. »

Emmy ferme les yeux, sagement. Ce que cette femme ne sait pas, c'est qu'elle vient de prononcer des paroles très anciennes, celles d'une jeune religieuse encore au noviciat qui voulait l'empêcher d'aller veiller Mimine morte, exposée dans la chapelle glaciale du pensionnat, petit trophée érigé à la bonté de dieu qui a récupéré une âme perdue, petit trophée exposé aux yeux impies qui résistent encore à l'infinie miséricorde de dieu.

~ ~ ~

« Êtes-vous une fausse faible comme je suis une fausse forte, Emmy ? »

La question n'attendait pas de réponse, Jacky se livrait à ses interrogations habituelles sans réclamer aucune forme d'aide.

« Je parle, je parle, mais je ne fais rien… Vous ne dites presque rien et vous tenez tout l'étage à bout de bras. »

Ça faisait sourire Emmy, ce genre d'exagération. Un jour, elle lui avait dit « seulement l'étage ? Pourquoi pas toute la bâtisse ? »

Ça, c'était les jours fastes, les jours légers où Jacky tenait une forme splendide. Ces jours-là, après son quart de travail, elle installait sa malade dans une chaise roulante et la poussait jusqu'à l'extérieur, dans une minuscule cour où seul un arbre avait résisté aux « forces du progrès, j'ai nommé les entrepreneurs immobiliers ».

Et elle partait dans un long monologue sur les milieux humides détruits, les insecticides assassins d'abeilles, les bélugas effrayés, jusqu'à ce qu'un oiseau croie qu'elle s'adressait à lui et lui réponde.

« Ah ! Un chardonneret !

— Mésange.

— Vous pensez ?

— Je le sais. »

Ce qui ravissait Jacky : « Une légère opposition de temps en temps, ça stimule. »

Ces jours-là, elle faisait des projets de sortie et y associait toujours Emmy. Un pique-nique, un musée, une séance de cinéma. Elle nommait des artistes, des films, des acteurs, tous étrangers à l'oreille d'Emmy qui n'était jamais entrée dans un musée. Elle avait bien sûr vu des films, la plupart en anglais parce que ses compagnons préféraient le genre poursuite-en-voiture très américain. Quand, par hasard à la télé, elle visionnait un film psychologique, cela l'endormait. Elle détestait les drames, sanglants ou non, les histoires à faire pleurer ou les grandes phrases compliquées. Celles de Jacky lui suffisaient. Elles étaient offertes à petites doses. Finalement, tout ce qu'elle aimait, c'était les documentaires animaliers.

En plus de lui prêter une force qu'elle n'avait pas, Jacky était à deux doigts de lui octroyer une culture dont elle ne s'était jamais souciée. À moins que la survie pure et simple ne soit une forme de culture.

~ ~ ~

« Je peux vous poser une question ? »

Inquiète, elle regarde Raymonde Pépin sans rien dire : jusqu'où une dette morale l'obligera-t-elle à se montrer conciliante ? Ou seulement polie ? Cette femme s'est révélée d'un tel soutien dernièrement qu'Emmy se répète qu'elle est sans danger. Plutôt une alliée efficace et réservée.

Devant l'attente angoissée d'Emmy, la bonne dame recule : « Laissez faire. Je ne veux pas me montrer indiscrète.

— Vous avez le droit.

— Pourquoi ? Parce que je vous ai donné du bouillon ?

— Plus que ça…

— Et des Tylenol, oui.

— Non… vous savez bien… »

Raymonde l'observe, étonnée. Cette femme encore belle, intelligente, ne dit pratiquement jamais rien et elle a l'air paniquée à l'idée de partager la plus candide des informations. Gentiment, sans insister, Raymonde lui rappelle que la première fois qu'elles se sont parlé, Emmy lui a demandé qui elle était et que, maintenant, elle a envie de lui poser la même question.

« Ou, du moins, qui dois-je appeler en cas d'urgence. »

Le rire d'Emmy est la réponse la plus surprenante qui soit. Elle ne s'y attendait pas.

Déroutée, elle veut savoir ce qu'elle a dit de si drôle.

« Ce serait trop long à expliquer, mais ne vous en faites pas avec ça. Il n'y a personne. À appeler, je veux dire. Personne. »

Raymonde voudrait bien obtenir quelque chose de plus substantiel, mais la bonne humeur de sa convalescente est trop rare pour qu'elle la contrarie.

Elle se lève pour soulager cette sauvageonne de sa présence.

« Je dois sortir. Vous avez besoin de quelque chose ?

— Non. Merci beaucoup. Pour tout. »

Raymonde entend bien la véritable reconnaissance, mais elle a l'impression qu'il s'agit d'un fardeau immense pour cette femme.

Elle allait fermer la porte quand elle s'arrête : « Je vais vous dire une chose étrange, Emmy. J'ai la conviction que dès que vous en aurez la force, vous allez partir. Et que ce ne sera pas parce que vous êtes malheureuse ici, mais pour la raison contraire, parce que vous êtes bien. La vraie question que je ne vous ai pas posée, c'est pourquoi c'est si difficile pour vous d'être… juste bien. Ou de seulement croire que je vous veux du bien. On a traversé quelque chose ensemble… Alors, si un matin je trouve cette chambre vide, sans autre mot que merci, je vais me sentir… je ne sais pas trop comment dire, comme si vous m'aviez menti. »

Sans attendre de réponse, elle ferme doucement la porte.

~ ~ ~

« Les gens négligés se sentent toujours justifiés de négliger les autres, Emmy. Ça s'appelle un cercle vicieux. À partir du moment où ce qu'on nous a fait subir sert d'excuse, on est en plein dedans. L'apitoiement. La vengeance. L'escalade du moi-c'est-pire. Un paquet de cochonneries qui servent un seul maître : le dédommagement qui prend des allures de justice. »

C'était encore une bonne journée où Jacky avait proposé de sortir un peu dans la cour. Alors que le soleil descendait, elle s'était confiée au sujet de son fils. Son faux-fils, comme elle l'appelait.

Sébastien avait trois ans et était orphelin de mère quand Jacky était entrée dans sa vie. Elle travaillait avec le père et il trouvait le fardeau monoparental très lourd. Toute relation trop émotive le rebutait. La maladie et la mort de la mère de son fils avaient représenté bien davantage que ce qu'il était prêt à investir dans un couple. C'était un homme froid. Il était tombé amoureux de Jacky pour deux raisons : elle lui simplifiait la vie avec son fils et elle n'exigeait rien, aucune attention particulière. Il vantait son autonomie et son énergie parce que, sans jamais lâcher sa carrière, elle s'occupait magnifiquement de leur fils. Et Jacky reconnaissait qu'elle s'était rendue aux arguments de son mari qui refusait d'avoir un autre enfant. Il ne reculait pas devant la vérité : un enfant exigeait trop, alors maintenant qu'il connaissait ses limites, il n'allait pas en faire un autre. Quinze ans plus tard, il rencontrait l'amour et le sens de sa vie, une beauté de douze ans sa cadette qui travaillait comme hôtesse de l'air. Sans détour, en espérant qu'aucune complication émotive ne viendrait assombrir leur belle entente, cet homme avait proposé un divorce généreux en tout point. Pour Jacky qui subvenait parfaitement à ses besoins, l'aspect financier était accessoire. Elle ne voulait qu'une chose, que Sébastien reste dans sa vie. L'ex n'y voyait aucun inconvénient, son fils était majeur, à lui de choisir qui il voulait voir et quand. Et Sébastien avait choisi de ne plus la voir. Il était resté près de son père et cohabitait avec la nouvelle maîtresse. Jacky, brisée plus par cette défection que par le départ du père, avait argumenté, expliqué, supplié. Rien n'intéressait Sébastien. Il avait un père et sa mère était morte depuis longtemps. Il la remerciait beaucoup, mais là s'arrêteraient leurs rapports. D'enfant affectueux, la séparation avait rendu Sébastien amer et revanchard à son égard. Comme si elle avait usurpé le rôle maternel. Ce qui ne lui servait plus devait être écarté de sa vie. En cela, il avait hérité d'un certain détachement paternel.

Pendant un an, elle avait attendu un retour de sentiment, un revirement de situation, une fois la colère retombée. Jamais Sébastien n'avait accepté de lui parler. Il n'en avait que pour son père : si celui-ci la rejetait, lui aussi le ferait, son père avait du discernement. Si son père choisissait d'aimer une autre personne, lui aussi le ferait. Jacky avait demandé une forme d'adoption tardive, une reconnaissance de droit parental dans les discussions du divorce et son ex-mari n'avait qu'une offre à lui faire à ce sujet : qu'elle s'arrange avec Sébastien. De fil en aiguille, en essayant de sauver la relation la plus importante de sa vie, Jacky avait laissé traîner les choses pour le divorce. Presque deux ans après leur rupture, ils avaient signé les papiers officiels. La semaine suivante, le père de Sébastien avait succombé à une crise cardiaque et la situation avait complètement explosé. L'ex n'ayant pas encore refait de testament et la compagnie qu'il détenait avec Jacky ayant été transférée à celle-ci au divorce, sa fortune restante était léguée moitié-moitié à Jacky et son fils. Pour couronner le tout, Jacky devenait la gestionnaire de l'héritage de Sébastien jusqu'à ses vingt-cinq ans. Furieux, Sébastien avait tenté de tout récupérer. La compagne de son père tirait de son côté pour obtenir une part du pécule. S'il avait fait valoir sa peine, ses regrets ou même son insécurité financière pour reprendre la part de Jacky, elle la lui aurait donnée sans discuter. Mais il l'avait accusée d'avoir manigancé pour le voler, lui arracher ce qui lui revenait, le spolier de son dû.

Il avait contesté le testament pour finir par lui faire une scène terrible où il l'accusait de lui avoir fait croire qu'elle l'aimait alors qu'elle voulait uniquement l'argent. Il l'accusait avec d'autant plus de véhémence et de précision qu'il avait lui-même tendance à agir de cette façon. Or, cet argent, c'était bel et bien le fruit de leur travail commun à son ex-mari et à elle. Jacky n'était pas secrétaire de direction, mais ingénieure et propriétaire de la compagnie au même titre que le père de Sébastien. Elle avait contribué à parts égales au patrimoine commun. Les papiers du divorce lui redonnaient cette part.

Le procès d'intention était déjà pénible, la désaffection de Sébastien brisait le cœur de Jacky. Il y avait tellement d'avocats dans le dossier qu'elle ne pouvait même pas lui faire don de quoi que ce soit au risque de sembler acheter la paix ou d'admettre une manipulation dont elle était loin.

Sébastien avait perdu sa poursuite et son attitude avait été gênante. Jacky ne pouvait plus lui offrir quoi que ce soit sans avoir l'air de confirmer ce qu'il prétendait : elle ne l'avait jamais considéré et s'était servie de lui pour exploiter son père. De distant et froid, le père de Sébastien devenait dans ce discours un pauvre type aimant qui a tout sacrifié pour offrir une mégère à son fils. Une femme sans scrupules qui a joué la comédie maternelle sans jamais rien lui donner en retour. Tous les reproches qu'il aurait pu formuler contre son père, c'est contre elle qu'il les exprimait. Et il semblait totalement inconscient du transfert de responsabilités auquel il se livrait.

Pour échapper à la haine insupportable de cet enfant de vingt ans qu'elle avait si mal élevé et qu'elle aimait encore, Jacky avait fermé boutique et était partie en croisière pendant un mois.

Elle y avait rencontré un homme d'une gentillesse inouïe… qu'elle a estimé trop mou pour elle.

« Élevée à la dure, je cherchais mon fouet ! »

Éric lui a fait une cour magnifique, digne d'un film romantique classé cinq étoiles et elle a fini par accepter de le rendre heureux à la perspective de partager sa vie. Il avait dix ans de plus qu'elle et beaucoup de moyens. Il revoyait ses ex, enfin, trois d'entre elles, et avec plaisir. Toujours en se souciant de leur bien-être, de leur bonheur. C'est cette particularité qui avait enfin touché Jacky. La capacité d'avancer sans renier le passé et sans se renier. L'amour véritable qui, s'il s'est affadi au quotidien et dans le lit, n'a pas disparu mais pris une autre forme. Éric avait pour ses ex une affection qu'elle a partagée avec deux d'entre elles. La troisième ayant des jalousies et des remarques acerbes sur les autres, Jacky avait baissé les bras. Elle reconnaissait ce déploiement de culpabilité généreux pour les autres et absent pour l'intéressée, elle avait déjà donné et préférait s'abstenir.

Elle avait connu huit ans d'un bonheur solide, joyeux. Elle avait traversé quelques crises de révolte ou de doute, se disant chaque fois qu'il y avait sûrement un piège là-dessous, que cette apparente perfection était probablement avariée en quelque lieu secret et que cela lui péterait au visage. Mais non. Éric s'avérait le bon vivant généreux qu'elle avait rencontré. Il était mort en tenant sa main, les ex n'étaient pas loin, et l'harmonie s'était étendue jusqu'au testament où les larmes n'avaient rien eu de factice ou d'exagéré. C'était dur de dire adieu à un tel homme. Pour chacune d'entre elles.

Maintenant que la santé de Jacky était vacillante, avec ce cœur usé qui la privait de ses forces mais pas de sa tête, Sébastien était réapparu. En premier lieu, pour émettre des doutes sur sa santé mentale — « Il a moins de mémoire que moi et j'ai rappelé les dates exactes de mon mariage, de la mort de son père, des termes non moins exacts du testament et même la date précise du jour où la cour m'a reconnue parfaitement en droit d'hériter » — et ensuite, pour jouer au fils prodigue.

« Après avoir fréquenté Éric, c'est fou comme Sébastien sonnait faux. Si vous saviez tous les malheurs et les malchances qui se sont abattus sur lui ! Dickens n'aurait pas fait mieux. »

Ce soir-là, une fois prête pour la nuit, Jacky avait retenu Emmy par la main : « Vous savez, si j'avais tenu à prouver qu'on avait eu tort envers moi, que Sébastien m'avait utilisée, je n'aurais pas pu saisir ma chance avec Éric. J'aurais été malheureuse en voulant prouver que j'étais dans mon droit. La vieille battante que je suis vous le dit : il y a des victoires qui ne valent pas la guerre qu'elles ont coûtée. La seule vraie victoire, c'est de tourner le dos à ceux qui nous font la guerre. »

~ ~ ~

Les paroles de Raymonde Pépin la laissent mal à l'aise. Elle a la désagréable impression de lui être redevable… de devoir lui rendre service ou de lui tendre un billet explicatif.

Elle griffonne quelques phrases sur les feuilles de son calepin, mais elles ne sont éloquentes que de sa vacuité.

Tout ce qu'elle pourrait écrire de vrai, c'est que Raymonde a raison : une fois ses forces récupérées, elle partirait. Vers quoi ou pour quoi, elle l'ignore. Partir lui semble la solution suprême.

Elle renonce à s'exprimer par écrit et s'endort en se répétant qu'elle est nulle.

Elle est à l'orphelinat un soir d'hiver où la lumière terne a disparu depuis seize heures. Une odeur de macaroni flotte dans l'air et Mimine glisse sa main dans la sienne, une Mimine ravie parce que les nouilles sont ce qu'il y a de plus goûteux à manger, même quand elles sont trop cuites.

« Est-ce que c'est Noël ? Tu penses que c'est Noël, Ma-My ? »

La toux qui la réveille est la sienne. Et Raymonde est en train de poser un plateau sur le lit.

« Un macaroni au fromage pour votre premier vrai repas ! Me semble que c'est parfait pour un estomac qui a perdu l'habitude de manger. Allez doucement. Prenez ce que vous pouvez. Pas plus. Je repasserai plus tard. »

Confuse, Emmy se redresse et cherche encore quoi dire en balbutiant ses mercis.

Raymonde l'arrête : « J'ai des invités, je dois remonter. Je m'excuse pour mes paroles de tout à l'heure. Je ne voudrais pas vous blesser ni vous empêcher de faire ce que vous voulez. »

Emmy ravale péniblement sa salive et prend son courage à deux mains : « Vous aviez raison. »

Raymonde a des yeux protecteurs, une sorte de bonté souriante émane de son silence. Elle hoche la tête, pensive.

« Pour l'instant, c'est la maladie qui vous retient ici. Pas moi. Alors, on en reparlera plus tard, quand la maladie vous laissera libre. Mangez ! »

Emmy n'a jamais dit autant merci de toute sa vie.

~ ~ ~

« Pourquoi ce qui revient en premier, c'est l'amertume ? Un peu comme la vinaigrette qu'on arrête d'agiter : l'huile remonte et ce qui donne du goût reste en bas. Depuis que je suis malade, depuis que ma vie se résume à un lit et à dépendre des autres, y a comme une rage qui me serre les dents… Pensez-vous que c'est ma vraie nature qui se révèle parce que je cesse de m'agiter ? »

Emmy ne connaissait rien à la vinaigrette, mais le ton de Jacky était amer, effectivement. Surtout au début, quand elle était arrivée à la résidence privée pour personnes en perte d'autonomie.

« Donner le change… c'est ce qu'on n'arrive plus à faire avec le grand âge. Faire semblant, se montrer sous son meilleur angle. Une fois étendue dans un lit, y en a pas d'angle favorable. Si on savait s'accorder avec ce qu'on est avant d'être obligé d'y faire face, ce serait plus simple de vieillir. Êtes-vous en paix avec vous, Emmy ? »

Jacky la faisait sourire avec ses grandes questions existentielles. Elle se gardait bien d'y répondre. Elle n'avait jamais pensé à tout ça, de toute façon. Être en paix était une notion aussi étrangère à ses yeux qu'être bien.

« Ce que je veux vous dire, Emmy, c'est que si je vous bouscule, si j'ai l'air dure, il faut me le dire et ne pas vous laisser faire. Brassez ma vinaigrette que mon bon fond remonte ! »

Emmy n'avait jamais dit à qui que ce soit qu'il était trop dur ou bousculant… même quand c'était le cas. Elle n'allait certainement pas commencer avec une personne malade dont elle avait la responsabilité. Dans son esprit, sa tâche était de faciliter la vie des autres, des soignants, des patients et même des visiteurs. On pouvait la malmener, exiger, réclamer ou même bouder, Emmy estimait tout permis puisque, pour la première fois de sa vie, elle avait un travail qu'elle aimait. Sans aucun papier officiel, elle semblait convenir grâce à son habileté et à sa maniaquerie de la propreté. Elle ne demandait rien d'autre.

« Pourquoi vous souriez ? La vinaigrette ? C'est la vinaigrette que vous trouvez drôle ?

— C'est vous. Vous n'êtes pas dure. Vous êtes juste fâchée d'être obligée de demander. »

C'est avec ces mots, précisément, que l'amitié de Jacky était née.

~ ~ ~

Remonter le plateau demande autant d'énergie à Emmy qu'une grosse journée de travail. Elle n'a plus aucune force, la grippe a dévoré toutes ses réserves.

Quand elle évoque son désir de payer pour tous les repas que madame Pépin lui a généreusement offerts, celle-ci ne veut même pas en entendre parler : elle n'est pas à la dernière extrémité ; une soupe, une pâte et des toasts, elle peut affronter ce genre de frais sans grever son budget.

« Vous savez ce qui me ferait vraiment plaisir ? C'est qu'on aille à l'hôpital toutes les deux pour voir si vos poumons sont guéris. Une radio, ça fait pas mal et ça me rassurerait.

— Non. Merci, mais non.

— Vous avez peur des hôpitaux ?

— Non.

— Ça vous inquiète pas de tousser autant et si creux ?

— Non. Ça va mieux, beaucoup mieux, merci. »

Ce qui constitue la phrase la plus longue qu'elle peut dire sans se remettre à tousser. Raymonde Pépin a l'élégance de ne pas insister. Elle soulève sa tasse de thé : « Bonne année, Emmy ! »

Devant l'air ahuri de sa pensionnaire, elle lui rappelle que la nouvelle année est arrivée, et qu'elles en sont au premier matin du premier jour depuis quelques heures, maintenant. Emmy balbutie un « bonne année » et se lève pour redescendre.

« Attendez ! Restez là, j'ai quelque chose pour vous. »

Si elle avait des forces, Emmy aurait pris la poudre d'escampette avant le retour de madame Pépin.

Elle lui tend un petit oiseau rouge, un de ceux qui étaient sous l'arbre : « J'ai cru remarquer que ma crèche avec les oiseaux vous intéressait. J'en ai plusieurs. On n'arrête pas de m'en offrir depuis des années. Celui-là est vraiment petit, il ne vous embarrassera pas. Pour vous tenir compagnie… je pense que c'est un cardinal ou une femelle parce qu'elle est moins rouge.

— Un roselin pourpré.

— Ah oui ? Vous connaissez ça ? »

Emmy tient le petit oiseau avec délicatesse, c'est si léger, si beau. Comment cette femme a-t-elle pu deviner ce qu'elle-même ignorait : cette toute petite chose lui fait monter les larmes aux yeux. Elle tousse, la gorge nouée : « J'ai appris, il y a longtemps... J'ai pas oublié.

— Ce qu'on apprend petit, ça reste. Gardez-le, s'il vous plaît. Je suis bien contente d'avoir trouvé ce qui vous ferait plaisir.

— Pourquoi ? Je veux dire... vous avez fait beaucoup pour moi. Pourquoi me faire plaisir en plus ?

— Ben... je sais pas trop ! Mais si vous saviez comment me faire plaisir, vous le feriez pas ?

— Si c'est aller à l'hôpital, non. »

Leur rire est encore interrompu par la toux.

~ ~ ~

C'est un enfant de la famille Mainguy qui l'avait surprise en train d'arracher des carottes de leur carré de jardin. Il l'avait traitée de marmotte et elle s'était sauvée avec son butin alors qu'il lui tirait dessus avec sa carabine à plombs. Depuis quelques semaines, ce jardin était son garde-manger. Elle venait à la nuit tombée et ramassait ce qu'elle pouvait, en vitesse. Le reste, elle le volait ou le ramassait dans les poubelles. Elle fouillait surtout pour trouver des vêtements, l'uniforme étant une des premières choses à jeter. Tellement de filles avaient été ramenées à l'orphelinat par des gens qui reconnaissaient les fugueuses à leurs vêtements. Emmy se souvenait de Marie-Madeleine qui était trop stupide pour comprendre ça et qui s'était sauvée quatre fois sans succès. Elle pleurait tellement fort le soir qu'elle les empêchait de dormir.

Sa première idée s'était avérée la bonne : rester enveloppée dans son manteau et marcher très loin, très longtemps avant de s'arrêter. Ne pas céder à la fatigue, à la faim ou à l'inquiétude. Ne pas céder, point. Aller tout droit sans tourner en rond et se cacher dès qu'une voiture arrivait. Elle avait pris des réserves de pain et elle mangeait peu pour pouvoir aller le plus loin possible avant de s'arrêter. Elle le faisait seulement quand elle était certaine que personne alentour ne risquait de la voir. Au début, sa chance avait été de trouver une cabane dans le bois. Délabrée, abandonnée, mais avec un toit, c'est là qu'elle avait enfin pu dormir et reprendre des forces. Et réfléchir. La meilleure façon de passer inaperçue était encore de se fondre là où beaucoup de monde s'agitait. Pour ne pas être remarquée, il fallait améliorer son apparence. Se laver était simple. Se vêtir… plus compliqué. Jusqu'à ce qu'elle fasse ses courses de nuit, non plus dans les poubelles, mais sur les cordes à linge où les gens laissaient leurs trésors sécher. Elle avait pris soin de diversifier les cordes à linge pour ne pas priver la même personne de tous ses effets.

Au bout de quelques semaines, elle s'estimait enfin à l'abri d'une quelconque poursuite puisqu'aucune autorité ne trouverait raisonnable de perdre du temps à la chercher au-delà de ce délai. Elle n'avait aucune importance, et cette conviction pour une fois devenait agréable.

Après l'épisode de la carabine, elle avait repris la route, pressée de s'éloigner d'une éventuelle accusation. Pour vol, cette fois. Ses treize ans ne paraissaient pas, toute enfance l'ayant désertée depuis longtemps. Elle prétendait seize à qui le demandait, et sa poitrine (« Viens me montrer si ça pousse. Que c'est joli ! Un cadeau de Dieu ! ») ne la démentait pas. Elle évitait les églises, le clergé et le religieux sous toutes ses formes. Elle observait longuement avant d'avancer et de demander quelque chose. Pour jauger si l'endroit et la personne étaient sécuritaires, elle demandait un chemin qu'elle connaissait.

« Le cimetière ? À côté de l'église, ma belle, à cinq minutes d'ici. Tu tournes à gauche en sortant. Y a pas de funérailles, ce matin... As-tu perdu quelqu'un ou t'es perdue ? »

« L'école des grandes ? Mais pourquoi tu la cherches, tu devrais y être depuis longtemps ! D'où tu viens ? C'est quoi, ton nom ? » Voilà le genre de questions qu'elle fuyait rapidement.

Un jour qu'elle lisait le tableau d'affichage à la petite épicerie-dépanneur, la dame à la caisse l'observait. Elle avait « fait ses preuves » déjà en demeurant très discrète après avoir donné ses indications.

« Y a les Mainguy qui cherchent de l'aide... C'est ma belle-sœur. Son mari est mort pis elle a six enfants. C'est pas payé beaucoup, mais elle fait bien à manger. C'est à vingt kilomètres d'ici. »

Emmy se demandait comment se montrer moyennement intéressée.

« Ça, c'est si tu cherches un emploi. T'as seize ans, c'est ça ?

— C'est ça.

— Si tu fais ce que t'as à faire, elle t'embêtera pas. Sinon, *watch out*! C'est pas une délicate pis elle est à boutte pas mal. »

« À boutte » était un euphémisme. Fabienne Mainguy était au-delà de ses réserves de force ou de courage. Elle bardassait son monde et hurlait sans arrêt. En suivant les indications de l'épicière, Emmy avait rebroussé chemin et s'était retrouvée... là où elle volait des carottes et où un garçon lui avait tiré dessus.

« Qu'est-ce que tu veux ? Si t'es là pour quêter, tu peux partir. On a besoin de charité, on la fait pas. »

« Je suis là pour aider » et elle lui avait tendu le papier où la belle-sœur avait écrit un mot.

Fabienne Mainguy l'avait regardée en plissant des yeux de myope. Elle avait redressé le gros bébé qu'elle tenait dans ses bras, indécise : « T'as pas l'air forte, forte...

— Essayez-moi. »

Un tas de vaisselle sale l'attendait. Au volume, Emmy aurait parié depuis deux jours. Passer le balai, éplucher, torcher, récurer, Emmy était une experte effectivement très douée. Voyant que l'ouvrage ne l'effrayait pas, Fabienne lui avait ensuite remis un panier à linge rempli à ras bord : « Tu plies ça, je m'occupe des poules. »

Chaque sous-vêtement, bas, camisole la renseignait sur les membres de cette famille.

En rentrant, Fabienne avait paru favorablement impressionnée.

Emmy avait désigné une pile : « Faut les repriser, y a des trous. »

Pour cette femme, porter des chaussettes trouées n'avait rien d'anormal.

« De toute façon, y vont aller nu-pieds jusqu'à l'hiver. Fais-le si t'as le temps, si ça te tente. Après le reste. »

Emmy avait compris qu'elle était engagée.

Le pire moment avait été quand les enfants étaient rentrés. Tout de suite, elle avait reconnu le garçon à la carabine. Mais lui ne semblait pas faire de lien. Les six enfants de Fabienne Mainguy étaient des garçons âgés de deux à douze ans. La plupart menteurs, mal élevés et prêts à tout, sauf à travailler. Qu'ils donnent des ordres, qu'ils la traitent comme une servante ne la dérangeait pas : c'est ce qu'elle avait connu toute sa vie. Mais que jamais aucun d'eux ne la touche ou n'essaie de l'emmener dans un lieu sombre pour la tripoter, voilà qui la surprenait beaucoup.

Comme elle dormait avec le bébé dans la chambre de Fabienne, elle n'avait même pas pensé que cela constituait une forme de protection contre la curiosité sexuelle des enfants. Tant qu'on ne lui demandait que de servir, de laver, de plier, de repasser, Emmy s'estimait chanceuse. Le premier vingt dollars déposé devant elle par une Fabienne tellement honteuse qu'elle en prenait un ton rogue pour déclarer que c'est tout ce qu'elle pouvait donner, avait constitué un véritable cadeau à ses yeux.

Elle était riche.

Emmy était restée deux ans et demi chez les Mainguy, le temps que l'aîné grandisse et s'essaie à la tâter. Comme il ne pouvait rien lui offrir et que son autorité sur elle était nulle, elle l'avait envoyé promener et le lendemain matin, peu encline à se battre contre « la faiblesse des hommes », elle avait dit adieu à Fabienne. Sans aigreur et sans regret : s'attacher n'était pas dans ses cordes.

~ ~ ~

« Vous êtes jeune. Je sais : après quarante ans, on se trouve très mûre, mais quand on arrive au dernier bout, le temps change d'air. Pas la même durée, aussi étrange que ça paraisse. »

C'était plus fort qu'elle, Emmy traînait dans les parages de Jacky, elle s'attardait à astiquer, à la soutenir pour aller jusqu'au fauteuil et à écouter ses propos sans jamais y répliquer ou poser de questions. Emmy écoutait, c'est tout. C'était un nouvel apprentissage pour elle, jamais personne n'avait parlé aussi franchement devant elle. Et à elle.

« Mes hommes sont morts rapidement. Ma mère a pris son temps. J'ai bien peur de tenir d'elle… La pauvre, elle voyait bien que je ne comprenais rien à sa vie. "C'est ma vie, ma pauvre enfant, ma vie." J'ai rien compris, alors que je prétendais tout savoir pour elle. Est-ce que quelqu'un a déjà eu peur de vous, Emmy ? Ma mère avait peur de moi. Peur que je la pousse vers sa mort. Peur que je décide sans avoir la moindre idée de ce qu'elle vivait. À mes yeux, prendre dix minutes pour aller aux toilettes, c'était huit de trop. Aux siens, c'était le temps que ça lui prenait. J'avais rien qu'une idée en tête : qu'elle se dépêche d'en finir, puisqu'elle n'avait plus de vitesse que je résumais à plus de vie. Plus de réflexes, plus de plaisir. On se pense tellement fins quand on est forts. Quand les jambes nous manquent, on perd pas sa tête pour autant. Porter une couche, c'est pas le dernier degré de l'abjection, contrairement à ce que je pensais. Pourquoi ce n'est pas dégradant à vos yeux de jeune femme, je ne le sais pas. Mais c'est quelque chose de précieux de ne pas être méprisée pour des besoins somme toute naturels. Vous ne méprisez jamais personne, vous… vous savez pourquoi ? »

Quand Jacky se mettait à réfléchir à son propos, Emmy trouvait qu'elle avait autre chose à régler et elle allait « à ses affaires ». Jacky avait vite saisi que, pour la garder près d'elle, mieux valait éviter de la questionner sur elle-même.

« Quand elle est morte, j'avoue que j'ai poussé un soupir de soulagement. Je pensais qu'elle était enfin libérée. C'est moi qui l'étais. Évidemment, ça ne se dit pas. On prétend qu'on le sent pour l'autre. Ça prendrait beaucoup d'honnêteté pour dire : je t'aime bien, mais tu m'exaspères à gruger mon temps avec ton ralentissement. Pourrais-tu en finir au plus vite que je m'apitoie sur mon sort et me désole pour moi en répétant que c'est mieux comme ça ? J'ai pris une vie à comprendre c'est quoi être vieux et regarder les autres nous trouver inutiles. Vous connaissez Brel ? "Mourir, la belle affaire, mais vieillir… ah vieillir !" Il est mort à quarante-neuf ans, pourtant. Il était comme vous, je suppose, un surdoué qui sait ce que personne ne veut avouer. »

Emmy lui savait gré de ne pas l'interroger sur son éventuelle mère. Elle n'aimait pas mentir à Jacky. C'était nouveau, d'ailleurs. Mentir lui avait toujours semblé l'équivalent de parler.

~ ~ ~

L'oiseau est sur le bord de la commode et il a l'air de regarder Emmy. Il la met presque mal à l'aise. Combien de fois Mimine a-t-elle dit qu'il faut les laisser libres, que rien n'est plus important que de les laisser aller comme ils veulent? Chanter, pépier, s'envoler… pour revenir. Sa mère lui avait enseigné tout ce qu'elle savait des oiseaux, du plus petit au plus dangereux, celui qui vide les nids des œufs pour s'emparer de la place. Mimine avait presque l'air d'un oiseau quand elle en parlait. Sa *neka* lui manquait atrocement. Au petit matin, quand Emmy lui chuchotait qu'elle devait partir, regagner son lit pour ne pas être punie, Mimine se levait et allait à la fenêtre écouter les oiseaux et lui dire lequel c'était. Quelquefois, elle le savait avant qu'il chante, au seul froissement des ailes. Mimine possédait une ouïe hors du commun. L'été, quand elles étaient dehors, elle repérait les sons bien avant qu'Emmy les entende. Elle disait que quand un oiseau chantait, c'était sa mère qui lui parlait. Elle pouvait imiter n'importe quel oiseau. Mimine connaissait par cœur ce langage et elle le lui avait montré. « Écoute mieux, c'est facile quand t'écoutes. » À ces rares moments, l'ordre entre elles deux s'inversait: Mimine devenait la mère et Emmy, l'apprentie. Alors que Mimine était plus âgée, son entrée au pensionnat et les privations de toutes sortes, dont celle de sa mère en priorité, avaient ralenti sa croissance. Elle paraissait à peine plus grande qu'Emmy. Mimine avait éprouvé durement le choc de la séparation. Pour Emmy, le seul choc était de comprendre qu'il y avait eu un « avant le pensionnat » pour la plupart des enfants, que tout le monde n'était pas né de rien, du péché, de la fange, sans père et sans mère. Sorti du néant pour être désigné l'incarnation de Satan.

Mimine était un ange de dieu à ses yeux. Et la miséricorde prenait vie dans la consolation qu'elles partageaient.

À la mort de Mimine, le plus difficile avait été d'entendre les oiseaux sans pouvoir décoder ce que Mimine lui chuchotait à travers eux. Son apprentissage n'avait pas duré assez longtemps. Elle entendait mais ne comprenait pas pourquoi il fallait se contenter du chant des oiseaux alors que Mimine était tellement mieux. Ce n'est que plus tard, beaucoup plus tard, qu'elle y avait trouvé du réconfort. Quand elle avait accepté que Mimine avait fait ce qu'elle avait pu. Et qu'elle n'en pouvait plus. Ce n'était pas sa protection qui était insuffisante, c'était cet endroit sombre, humide, inhumain — que même les oiseaux fuyaient — qui avait triomphé.

À la ferme des Mainguy, une fois sa tâche bien circonscrite, Emmy avait enfin pu relâcher sa vigilance. Debout à l'aurore, le bébé endormi contre elle, elle avait pu écouter les oiseaux célébrer le jour et en être éblouie. Comme si elle sortait enfin d'un couloir où les sons avaient été absents. Comme si sa surdité prenait fin. Comme si, enfin, Mimine lui parlait un langage qu'elle comprenait.

Certains matins, le seul cri enjoué du chardonneret soulevait la chape de chagrin qui l'accablait.

~ ~ ~

C'est au bras de Raymonde qu'elle fait ses premiers pas dehors. La neige est là, même si le froid est endurable. Elles rentrent après vingt minutes et Emmy est déjà épuisée… et frustrée de l'être. Raymonde l'encourage avec humour: « Dans une semaine, vous aurez récupéré et vous pourrez vous sauver. Profitons de ce qu'on a d'ici là. On a vu pire que cette cuisine, non ? »

Oui, elle a vu pire.

Le thé est devenu un rituel agréable avec cette femme généreuse. Emmy n'a pas la furieuse envie de fuir qui l'a longtemps habitée.

« Si je ne partais pas, faudrait que je fasse quelque chose. »

Madame Pépin prend une gorgée de thé et laisse passer un peu de temps… au cas où son invitée aurait envie d'élaborer. Finalement, elle murmure : « Vous voulez dire autre chose que des biscuits pour les réfugiés ? »

Elle aime faire sourire Emmy. À chaque fois, cela ressemble à une victoire, elle ignore pourquoi. Comme elle ignore pourquoi l'avenir de cette femme lui tient à cœur. Elle ne cherche pas, les grands débats intérieurs ne sont pas pour elle.

« Ça devrait se trouver. Vous êtes pas pressée ? »

~ ~ ~

Riche de tous les gages économisés chez Fabienne Mainguy, Emmy avait eu le temps de faire un bout de chemin avant de trouver un nouvel emploi. C'est au motel *Mon Repos* où elle avait fait halte qu'elle avait négocié l'entretien ménager de toutes les unités contre la gratuité de la sienne. Du coup, le standing de l'endroit avait grimpé d'un bon cran, la propreté chère à Emmy n'ayant pas été jusque-là une priorité pour le gérant.

Elle ne croisait que rarement les clients, son travail commençait quand ils partaient.

Un jour, elle finissait son ménage quand un homme jeune à l'air d'un cowboy pour une annonce de cigarettes lui avait offert de rester un peu boire une bière, le temps de « piquer une jase ».

Ça s'était terminé par un « reste donc » très autoritaire, suivi d'une attaque très ciblée et passablement rapide.

Le sang avait surpris le cowboy autant qu'Emmy : c'était donc ça que le prêtre avait protégé avec tant d'inventivité en usant de tous les autres orifices de son corps pendant des années.

Elle avait profité de la surprise déconcertée de cet encombrant client — « crisse ! t'es vierge ? » — pour décamper.

Le pourboire trouvé dans le motel le lendemain était à la hauteur de l'importance que ces hommes accordaient à la virginité d'une femme.

Emmy l'avait empoché et n'avait plus jamais bu une bière. Finalement, elle n'aimait pas le goût.

~ ~ ~

« De toutes les choses inventées par l'homme, l'argent est sans doute la plus pernicieuse. Il a rendu acceptable le mépris, la cupidité crasse. Je tiens au "crasse", Emmy, parce que ça donne l'ampleur du désastre. »

Dans le calepin, à côté de « pernicieuse », Emmy avait noté « qui fait du mal ». Jacky devenait véhémente au sujet de l'argent — celui qu'on lui réclamait, qu'on croyait dû, celui qui achetait tout et faisait parfois disparaître le meilleur de l'humain dans une sorte de marché de dupes.

Dans cette résidence privée aux soins « exceptionnels », tout était chèrement payé.

« On vous tapote la main pour vous saluer et c'est un supplément non couvert par le loyer de base déjà exorbitant. Dites-moi que vous êtes payée royalement pour vos soins non médicaux, mais essentiels ! Non, ne me dites rien ! Dans leur esprit, vous faites partie des métiers accessoires, ceux qui ne réclament aucune qualité humaine. Vous rendez-vous compte que si vous quittez cet endroit, je pars aussi et je vous suis où que vous alliez ? Vous êtes l'âme de cet endroit, Emmy. À mes yeux, vous êtes l'incarnation des qualités qu'ils se vantent d'avoir dans leur dépliant couleur et dont ils sont affreusement dépourvus.

— Je pars pas.

— Comment vous faites pour endurer ça, par exemple, c'est un mystère. Vous êtes plus douée que moi, c'est certain. »

Emmy se souvenait des paroles des religieuses: « Endurer quoi ? Allez-vous cesser d'inventer des mensonges pour vous rendre intéressante ? Vous n'aviez même pas d'âme avant qu'on vous prenne en charge. Ce qu'un prêtre vous demande, c'est Dieu qui vous le demande. L'envoyé de Dieu, c'est le prêtre. Obéissez, sinon vous serez damnée. »

Quelquefois, Jacky l'observait en silence, et cela mettait Emmy mal à l'aise. Elle finissait par demander si elle avait oublié quelque chose ou si elle lui avait fait mal sans le vouloir. Jacky s'excusait toujours d'avoir été intrusive. Comme Emmy ignorait le sens de ce mot, elle esquissait un demi-sourire passe-partout.

« Tiens ! la Joconde qui revient ! Je voudrais être sûre qu'on vous traite bien, Emmy. À la hauteur de votre immense compétence à consoler et à prendre soin des oubliés de la terre. Et je suis persuadée que ce n'est pas le cas. J'en suis désolée. »

Emmy avait peur que Jacky sorte son porte-monnaie pour lui offrir un pourboire.

Elle n'aurait pas pu dire pourquoi, mais elle n'aurait pas supporté un tel affront.

Pernicieux, voilà ce que cela aurait été. Ça lui aurait fait du mal.

Elle range son calepin et s'emploie à faire de l'ordre dans sa chambre déjà immaculée. La minuscule salle de bains est irréprochable. Rien, elle ne peut rien entreprendre pour améliorer l'état des choses.

L'oiseau la nargue sur la commode. Elle n'a jamais su que servir. Maintenant qu'elle devrait cesser, elle ne sait pas comment y arriver.

À quoi lui sert de posséder une liberté dont elle ne sait que faire ? Toute sa vie, elle a couru pour sa survie. Maintenant qu'elle est vivante et à l'abri, elle ne sait ni en profiter ni chanter. Elle n'a su désirer qu'une chose : s'échapper. Mais elle ne peut pas s'échapper d'un endroit confortable où on est aimable avec elle.

Elle caresse l'oiseau d'un doigt délicat : Mimine ne sera plus jamais là. Elle n'aura plus jamais à réchauffer les pieds glacés d'une petite fille.

Seules les phrases de Jacky lui reviennent pour contrer celles des autres, tous ceux qu'elle a servis.

Tous ceux qui se sont servis.

Le vide est impeccable.

« Sans péchés. Vous saviez ça, vous, que le mot impeccable veut avant tout dire sans péchés ? »

Quand Raymonde revient, les bras chargés de son épicerie, elle trouve Emmy occupée à récurer le four de sa cuisinière, besogne qu'elle retardait sans cesse.

« Pourquoi j'ai l'impression que c'est pas une bonne idée, Emmy ? Est-ce que c'est pour me dire que ça va mieux ? Pour me faire plaisir ? Pour me soulager d'une tâche que je déteste ? »

Emmy regarde ses mains gantées de caoutchouc, elle reste tête baissée. Elle ne peut pas dire ce qui lui vient comme réponse : pour exister.

~ ~ ~

« Ah enfin ! Vous voilà ! Tout le monde vous a réclamée, aujourd'hui. Je ne connais les horaires de travail de personne d'autre et vous êtes ici depuis des heures sans venir me saluer. Détrompez-moi, Emmy : je ne suis pas toute seule à parler pour deux ? Nous avons une véritable amitié, non ? Ce n'est pas votre immense sens des responsabilités qui vous tient près de moi ? »

Elle se démenait pour faire un ménage convenable, alors que Jacky ne souhaitait qu'une chose : qu'elle s'assoie, qu'elle la regarde et que son monologue devienne une conversation. Elle avait beau répéter que c'était une journée débordée, Jacky l'avait espérée trop longtemps pour se satisfaire de ce lieu commun.

« Vous cachez quoi, Emmy ? Vous êtes fâchée ? Non... venez vous asseoir, arrêtez un peu, vous m'étourdissez. »

Elle s'était assise à contrecœur, sans cesser de noter mentalement ce qu'il y aurait encore à essuyer pour bien remplir son mandat.

« Vous n'êtes pas comme d'habitude... Vous êtes inquiète ? Quelqu'un vous a chicanée ? Quelqu'un s'est montré désagréable ? Je ne vous ai jamais vue aussi... alarmée. Avez-vous des difficultés ? »

Elle avait murmuré que non, elle avait essayé de ne pas révéler que dans la chambre voisine, tout près de Jacky, monsieur Sylvain était mort. Qu'il avait fallu désinfecter tout partout. Que c'était son travail. Qu'une nouvelle personne arriverait dans quelques heures… À cette seule idée, elle s'était relevée : il fallait qu'elle termine son ouvrage.

« Vous êtes en panique, Emmy. Vous ne le savez pas ? Dites-moi ce qui se passe. »

Emmy avait juré que rien ne se passait de spécial avant de s'apprêter à partir.

« Quoi ? C'est normal que dans une maison de soins prolongés, la prolongation ait ses limites. C'est la mort du voisin qui vous met dans cet état ? Vous pensiez que je ne le savais pas ? On sait tout, ici, Emmy. Cloué dans un lit, on sait tout comme si on avait un système de caméras cachées. Alors ? Allez-vous me dire ce qui se passe ? »

Stoppée dans sa fuite, elle avait murmuré : « Ses pieds… Les pieds de monsieur Sylvain… »

Jacky fronçait les sourcils, attendait une suite éclairante.

« Ils ont mis une étiquette… on aurait dit un prix. Son prix. »

Jacky ne voyait pas bien le problème, elle avait expliqué que c'était plutôt une identification. Pas un prix.

« Pour Dieu ? Pour qu'Il sache à qui Il a affaire ? Où l'envoyer ? »

Jacky n'avait pas cédé à l'ironie qui lui venait : « Non, Emmy. Pas pour Dieu. Certainement pas. »

Emmy avait mis un certain temps à la croire, en proie à un grand débat intérieur. En treize ans d'institution, elle avait vu beaucoup de corps d'enfants exposés en chapelle, pieds nus, mains croisées sur le chapelet. Personne, jamais, pas un seul enfant n'avait été identifié. Ni pour Dieu ni pour les hommes.

« Venez ici, Emmy. Écoutez-moi. Je vous jure que Dieu s'en fiche de l'étiquette. Que jamais personne ne sera rejeté à cause de ça. Si vous croyez en Dieu, vous savez bien que personne n'a besoin de prouver sa valeur devant Lui. Vous croyez en Dieu ?

— Non.

— Ah bon ! Alors, qu'est-ce qui vous inquiète ?

— Ceux qui croient. Les autres qui meurent en pensant à Dieu…

— Oui ?

— Si y ont pas d'étiquette, si on les retrouve même pas…

— Oui…

— Y sont où ?

— Qui ?

— Les enfants morts. Y sont où ?

— Au cimetière et… avec Dieu si c'est leur foi. Non ?

— Pas dans le cimetière, en tout cas. Personne avait d'étiquette. On a retrouvé personne.

— S'ils sont morts, Emmy, ils sont avec Dieu. Je pensais jamais dire une chose pareille, mais s'ils croyaient, ils sont avec Dieu. Y a aucune raison de s'en faire. Je suis certaine que Dieu est en mesure de retrouver qui Il veut, quand Il veut.

— Pas dans le carré des limbes ? Pas dans l'enfer des apostats ? Pas les impies ?

— Seigneur ! Vous croyez à la méchanceté de Dieu, Emmy ? À son esprit de vengeance ?

— Oui. »

C'est dit sur un ton posé, sans révolte aucune, comme une évidence admise. Jacky voudrait bien secouer la personne qui a inventé de telles atrocités pour l'âme errante des apostats. Pour n'importe quelle âme.

« Je ne peux pas parler pour Dieu, Emmy. Je ne sais pas qui vous avez cherché sans jamais trouver sa trace, mais ça ne ressemble pas du tout à Dieu, ça. Ça ressemble aux hommes, et pas aux meilleurs. Si Dieu existe, Il a beaucoup plus d'allure que les hommes qui le représentent. Avec ou sans étiquette au pied, je vous jure que Dieu a trouvé votre ami.

— Vous êtes sûre ?

— Certaine. Et on ne peut pas m'accuser d'avoir une confiance aveugle en Dieu. Vous me dites de qui il s'agit ? »

Emmy recule presque à l'idée de confier le nom de Mimine. Elle hoche la tête, murmure un merci et veut s'enfuir.

Jacky attrape sa main pour la retenir : « Attendez ! Tout ce qu'on vous a dit sur Dieu pour vous faire peur ou vous faire obéir, c'était pas l'esprit de Dieu. Même le pape n'a pas le droit de vous dire ça. Les morts sans étiquette sont seulement des morts négligés par les hommes. Pas par Dieu. Il n'y a pas d'enfer, Emmy. En tout cas, pas une fois mort. Ici-bas, par contre, y a un enfer. Et il est géré par les hommes. Pas par Dieu. »

Ça, Emmy le croyait sans peine.

~ ~ ~

Le canard est parti. L'enclave de la rivière où il se tenait est gelée, la neige recouvre chaque banc, comme des fantômes assis là pour l'empêcher de reprendre sa place. Ça fait longtemps qu'Emmy ne s'est pas aventurée jusqu'au parc. Tout est si figé, pris dans la glace et la neige. Il fait un froid de canard, justement… et elle se dit qu'il s'est enfui à sa place. Vers d'autres cieux plus chauds, plus beaux.

Elle ne sait pas ce qui la fait rester : la fatigue ou le peu d'importance qu'elle accorde à l'endroit où elle vit. Elle n'est pas certaine de vivre vraiment. En tout cas, pas au sens de Raymonde Pépin qui a des étincelles dans les yeux à la seule perspective d'une partie de dominos. Même Jacky serait fascinée par cette belle énergie joyeuse que dégage Raymonde.

« Qu'est-ce qu'on doit aux morts ? »

C'est la question qui taraude Emmy depuis qu'elle s'est entendue éclater de rire avec sa protectrice. Pas que Jacky en aurait pris ombrage, pas que quiconque lui ait jamais intimé l'ordre de célébrer l'âme des morts en évitant d'être vivante… mais si ceux qui ont de l'importance ne sont plus là, leur importance demeure, non ?

Emmy ne sait pas. Et quand elle ne sait pas, elle ne bouge pas. Tout ce qu'elle savait, elle l'a fait : quitter tout et repartir. Après… elle a toujours laissé les hasards de la vie décider pour elle. À force d'éviter de désirer ou d'espérer, il y a un ressort qui s'est rouillé, elle ne sait plus aller vers la vie. Elle sait fuir la vie qu'elle déteste, elle ne sait pas imaginer ou dessiner une autre vie. Elle aussi, elle est un canard. Sauf qu'elle a les pieds pris dans la glace, n'ayant pas eu l'esprit de bouger avant le gel.

Elle aimerait que Jacky soit là pour l'aider à discerner ce qu'il faut faire. Le calepin est trop mince pour contenir toutes les réponses à ses questions.

« Vous êtes pleine d'affection pour l'affliction, Emmy. Vous comprenez tout, excusez tout. Un jour, à force d'endosser le malheur du monde, vous deviendrez un malheur pour vous-même. »

Elle sait que Jacky a raison. Elle sait qu'elle marche main dans la main avec la désespérance. Elle s'est longtemps demandé si naître Innue comme Mimine plutôt que « de parents inconnus » aurait été plus facile à vivre, mais puisque Mimine était morte d'avoir été éloignée des siens, la réponse devait être non. On est probablement mieux de ne pas avoir de « siens ».

D'un autre côté, tenir les pieds glacés de Mimine depuis quarante-cinq ans n'arrive pas à donner un sens ou de la joie à sa vie non plus. Ça fait longtemps que Mimine est un oiseau qui s'enfuit loin du gel, de la neige et des mauvais vents.

C'est elle qui est restée au froid, les mains vides et le cœur lourd.

Mimine ne lui demande peut-être plus rien. Emmy ignore si ce n'est pas elle qui demande encore à la petite fille de lui donner une raison de continuer. Elle a fui le lieu des horreurs en emportant l'horreur avec elle. Comme encroûtée au fond de son corps. Comme le cadavre glacé d'une enfant qui n'a jamais grandi.

« Un jour, Emmy, un jour qui est bientôt, je ne serai plus là et vous allez devoir vous demander ce que vous pouvez faire pour vous aider. Je ne voudrais pas que votre talent vous empêche de vous octroyer une vie. Prendre soin des autres, c'est généreux, et je suis la première à en profiter. Ma manière de vous remercier, c'est de vous supplier de vous accorder un peu de soin. Disons dix pour cent de ce que vous offrez à tout le monde ici. Comme disait l'autre, faites donc ça en mémoire de moi. »

Debout derrière le banc glacé sur lequel elle ne peut s'asseoir, Emmy se sent ridicule avec sa vie à laquelle elle ne participe pas. Cette vie qu'elle ne choisit jamais et qui est tout de même la sienne.

Ne rien faire serait donc choisir quand même ? Comme venir du néant vicieux de deux anonymes a fait d'elle une personne vivante, quoi qu'en disent les religieuses. Une errante sortie de rien, mais une errante qui pourrait trouver un chemin et se nommer enfin.

L'odeur de soupe aux légumes et de croûtons au romarin l'accueille. Elle entend Raymonde fredonner. Si quelque chose pouvait apaiser les questions sans queue ni tête qui la hantent, c'est bien le calme confiant de cette femme.

Depuis un mois, maintenant, elles soupent ensemble régulièrement. Raymonde prétend que c'est un plaisir pour elle. À la grande surprise d'Emmy, elle ne parle pas constamment. Le premier soir où elle n'avait presque rien dit, Emmy lui avait demandé si elle était contrariée.

« Moi ? Non, pas du tout. C'est une journée avec rien de neuf ! Avez-vous du vieux à raconter ? »

Devant la dénégation souriante de son invitée, elle avait ajouté : « Quand on est bien, on n'a pas besoin de meubler le silence. Mais quand on est mal, ça pèse pour vrai. Je connais des gens qui peuvent même pas s'entendre respirer. Gardez-vous de la place, j'ai fait des brownies. »

Raymonde a les yeux brillants de plaisir. C'est une gourmande « impénitente », comme elle l'avoue sans rechigner. Elle ferme les yeux de volupté en laissant la pâtisserie fondre dans sa bouche. Jamais Emmy n'a été témoin d'une telle félicité consentie. La narine frémissante, Raymonde ouvre les yeux et lui indique le morceau devant elle : « Allez-y, ça goûte le ciel ! »

Emmy ne sait rien du ciel, mais ce gâteau et le plaisir partagé, c'est sûrement prendre soin de soi.

~ ~ ~

Le motel avait perdu sa responsable de l'entretien ménager quelques années plus tard, mais Emmy était restée comme cliente. Le snack-bar *Chez Tony* l'avait prise à l'essai et, encore une fois, son dévouement et sa tolérance aux conditions de travail ardues avaient constitué des atouts majeurs. En peu de temps, elle était devenue la référence du lieu, la serveuse qui n'oubliait jamais un nom ou une préférence. Celle qui, sans être souriante, accueillait le client avec respect, si ce n'est déférence puisque aucun jugement sur l'autre ne l'effleurait.

Les habitués adoraient lui raconter leur vie. Elle écoutait en nettoyant le comptoir ou la plaque de cuisson, elle hochait la tête d'un air entendu, comme si elle comprenait leurs tracas ou même leurs joies. Aucun de ces récits ne l'affectait. C'était son métier, voilà tout. Elle servait des assiettes plantureuses, mais elle grignotait au bout du comptoir en sirotant un thé foncé et amer. Elle écoutait leurs histoires et se lavait le soir en laissant couler leurs récits comme l'eau sur son corps. Habituellement, quand les hommes devenaient insistants et la fixaient avec des yeux remplis d'appétits d'un autre ordre que ceux qu'apaisait le menu, elle leur tendait la carte plastifiée en disant que tout ce qu'il y avait comme dessert était sur cette liste. Quand ils ne saisissaient pas, elle se sauvait dans la cuisine et Tony en personne venait s'occuper du client. Les manières rudes de Tony et sa carrure de lutteur faisaient merveille et, généralement, personne n'insistait.

Le *trucker* marié avec qui Emmy avait eu une aventure n'avait pas perdu de temps à essayer de la séduire : il lui avait donné l'ordre de le rejoindre dans son dix roues. Emmy avait toujours eu du mal à résister à l'autorité. Formée à l'obéissance, elle s'inclinait devant le pouvoir et, pour elle, ceux qui réclamaient avec fermeté ou violence détenaient le pouvoir.

Ce qu'elle détestait de cette liaison, outre le côté physique, c'était de devoir faire sa journée sans se laver en profondeur. Mais pour rien au monde elle n'aurait invité quelqu'un dans son motel. C'était son refuge, son petit carré à elle. C'était peut-être miteux, mais c'était chez elle. Et à ce titre, l'endroit devenait luxueux.

Après des années passées au snack-bar, un drame s'était produit: Tony avait été quitté par sa femme. Emmy avait essuyé la palette complète des émotions liées à un tel outrage: de l'incrédulité à la colère vengeresse, elle avait vu Tony pleurer, tempêter, supplier, se désoler, pour finir par tendre la main vers sa croupe en signe de gratitude pour son indéfectible écoute… tellement mieux que celle de Shirley. Ce jour-là, coincée, Emmy avait temporisé en acceptant de l'embrasser « pour le consoler ». Tony s'était montré conciliant, mais il ne lâcherait pas sa proie. Emmy le savait et, cette fois, elle ne pourrait pas courir en cuisine chercher une protection.

Elle avait plié bagage ce soir-là en prenant soin de laisser un mot sur le comptoir luisant qu'elle avait si bien astiqué: *Merci. Pour tout.*

S'il y a une chose qu'elle avait comprise à travers toutes les confidences récoltées en ce lieu, c'est que si s'expliquer est inutile, se justifier l'est encore davantage.

~ ~ ~

« Avant qu'Éric entre dans ma vie, je ne savais strictement rien de l'amour… et je me pensais tellement capable d'aimer! Mon ex avait eu bien raison d'aller avec son hôtesse de l'air: j'étais avec lui pour Sébastien. Et finalement, il était avec moi pour Sébastien aussi. Le seul qui n'a pas trouvé son compte là-dedans, c'est encore Sébastien. Je ne sais pas ce que ça lui aurait pris comme preuve d'amour, en admettant que cela exige des preuves. À partir de là, on oublie le mot amour et on ouvre le grand livre des compensations que la vie nous doit. Cet enfant-là avait perdu sa mère tellement jeune, il n'a jamais voulu risquer de voir son père s'éloigner et il ne l'a pas lâché. Vous ne pensez pas ?

— Vous l'aimiez ?

— Évidemment ! Je l'adorais. Ce qui ne m'empêchait pas de voir ses défauts, ses lacunes, ses entêtements, mais depuis quand les faiblesses d'un enfant nous rebutent ? On se dit qu'on va l'aider à dépasser tout ça, qu'on va l'élever... Beaucoup d'orgueil, très peu de lucidité, ça se résume à ça, être parent. En tout cas, pour moi. Je me demande encore si je suis déçue d'avoir échoué ou de m'être trompée à ce point-là sur lui. Un ou l'autre, on est encore dans l'orgueil. »

Emmy avait déposé doucement la jambe droite de Jacky et elle la recouvrait avant de commencer à masser l'autre jambe.

« Vous êtes un ange, Emmy. Cette jambe pèse deux fois moins que l'autre... Vous savez que vous m'avez troublée avec votre histoire de bon Dieu, l'autre jour ? Vous souvenez-vous du Notre Père ? »

Les mains d'Emmy stoppent.

« Non ! N'arrêtez pas ! Je vais me taire, mais n'arrêtez pas. Merci. »

Jacky s'était tue, mais elle n'avait pas cessé de réfléchir pour autant. Quand Emmy avait déposé sa jambe sous la couverture, elle ne s'attendait pas à ce que Jacky lui récite: « *Pardonnez-nous nos offenses comme nous pardonnons à ceux qui nous ont offensés.* Ça dit mon âge, ce vouvoiement. Dans mon temps, on n'était pas à tu et à toi avec Dieu. On gardait une distance respectueuse. On faisait très bien, d'ailleurs. J'ai jamais cru que Dieu nous pardonnait quoi que ce soit. Pas plus que je pardonnais vraiment. Je suis une vieille femme encore insultée qu'on ait rejeté mon amour. Alors que je suis persuadée que l'amour n'a ni prix, ni obligation, ni retour. La reine de la contradiction! Vous pardonnez facilement, vous? »

Jamais l'idée ne lui était venue, elle ne se voyait pas en position de pardonner. Dans son esprit, elle n'avait pas ce pouvoir. Elle s'estimait de trop peu d'importance pour être en droit de pardonner à qui que ce soit.

« Vous faites une drôle de tête... Vous pardonnez ou pas?

— Je sais pas.

— Oh! Ça c'est intéressant... prenons quelque chose de simple: pardonnez-vous aux administrateurs de ce paradis pour vieux de vous traiter en bonniche alors que vous incarnez l'humanité de l'endroit? Bon, encore la Joconde! Vous m'aiderez pas, Emmy, vous allez me laisser me débrouiller avec mes questions philosophiques? »

Emmy ramassait le gel de lavande et agitait la main gentiment en murmurant un « bonne nuit » plein de douceur.

Le lendemain, à peine était-elle entrée dans la chambre que Jacky reprenait là où la conversation s'était interrompue.

« Vous savez quoi ? On se fiche bien de pardonner à Dieu ou même à ceux qui nous ont offensés. C'est à nous-mêmes qu'on n'arrive pas à pardonner. À notre profonde incompétence. Quand Éric est mort, j'aurais voulu mourir, je ne voulais pas rester derrière, lui survivre. Si je n'étais pas capable de le garder vivant, alors je ne méritais ni de vivre ni d'être heureuse. J'ai sombré. Et je voulais sombrer. Ce n'était pas normal, vous comprenez ? Ça faisait seulement huit ans qu'on était ensemble, il avait réussi à rendre ma vie follement belle, ma vie, mon corps même follement parfaits. Alors que je n'avais jamais cru que ce genre de choses pouvait m'arriver. Pas de conflits, pas de tiraillements entre nous, juste du rire, de la complicité, de l'extase. Eh oui… de l'extase. Je ne lui en ai pas voulu de mourir, mais je m'en suis tellement voulu de ne pas réussir à le garder en vie. Je peux calculer le coefficient de résistance des matériaux, la charge de dynamite pour faire reculer une montagne, mais je ne pouvais pas le garder, le sauver, l'empêcher de mourir ? Je me suis haïe de rester en vie et j'ai haï la vie de s'accrocher à moi alors qu'elle l'avait fui. Maintenant que mon heure arrive dans cet endroit minable, maintenant que la vie glisse et s'en va, vous savez à quoi je pense ? Qu'il tenait ma main en mourant. Que j'étais là, que je respirais à son rythme, que mes yeux ne le quittaient pas. Et que je n'aurai rien, ni regard ni main. On ne devrait pas laisser les gens mourir seuls. C'est une des grandes cruautés de notre époque. Je ne dis pas de faire semblant d'aimer les agonisants, mais être là, vraiment là pour cet instant difficile. En silence, mais avec un regard aimable à quitter. Remarquez que ce serait beaucoup exiger d'une société qui laisse crever des immigrants en mer ou qui les retourne chez eux sous prétexte d'illégalité, une société qui ne peut nommer trois pays où des enfants sont affamés, où des civils sont tués par des tyrans qui protègent leur fortune et leur pouvoir, ou juste une société incapable de fournir de l'eau potable et des soins de base à tous ses citoyens. On n'est même plus foutus de s'en scandaliser, imaginez ! Avant qu'on se bouge, il va falloir tellement de cadavres… de gens morts seuls. Désertés, inintéressants. Des infortunés, alors que la fortune est tout ce qui nous intéresse. Le profit le plus petit, le plus insignifiant, ça, ça fait bouger des mains. Un vieux qui meurt ? C'est dans l'ordre des choses. Un enfant qui meurt de faim ? C'est trop loin. Un Atikamekw qui s'empoisonne au mercure ? C'est la pollution. On a toujours des raisons de ne pas bouger, de ne pas crier, de ne rien changer. Et on finit tout seul dans un lit en espérant que la porte s'ouvre une dernière fois sur un être humain qui nous sauvera de notre propre inconséquence. Vous savez quoi, Emmy ? On ne paye pas une main pour prendre la nôtre à notre dernière heure. Parce que si on la paye, elle ne sera là que pour saisir le pactole et accessoirement notre main qui le tient. Il y a toujours un Sébastien prêt à accourir saisir la main qui tient l'argent. »

Était-ce pour faire cesser ce discours affreux, était-ce par compassion pour l'extrême solitude que ces mots exposaient sans gêne, Emmy s'était approchée de Jacky et elle avait posé sa main dans la sienne en la regardant dans les yeux. La promesse n'était pas formulée, mais le geste était exceptionnel, et Jacky ne s'y était pas trompée.

« Merci. J'ai passé la nuit à m'en faire. C'est évident que je ramollis. »

~ ~ ~

« On a une réunion du comité d'accueil aux réfugiés, vous voulez venir voir de quoi ça a l'air ? Vous n'aurez pas le droit de vote, mais je pense pas que ça vous dérange. Je vous présenterai comme observatrice… en leur rappelant que vous avez fait les biscuits. »

Emmy ne voit pas trop ce qu'elle irait faire là, mais puisque Raymonde veut lui montrer l'objet de son bénévolat et qu'elle a l'air d'y tenir, elle accepte.

Les églises la rebutent, elle s'y sent mal depuis toujours. Le sous-sol est semblable à toutes les salles paroissiales : poussiéreux et rendu écho à cause des planchers de terrazzo sur lesquels les pattes de métal des chaises grincent désagréablement.

Assise légèrement à l'arrière du cercle des membres du comité, Emmy écoute à peine ce qui se dit. Elle est trop habillée, elle a chaud, elle a l'impression de manquer d'air.

Elle dénoue son écharpe grise et dégage son cou quand une main se pose sur son épaule et l'étreint. Elle sursaute violemment et se retourne sans entendre les mots qui accompagnent le geste. La vue de la soutane et du surplis la révulse. Elle se lève en émettant un feulement aussi menaçant qu'apeuré. Elle s'enfuit en laissant derrière elle une assemblée stupéfaite et un prêtre ahuri.

Elle marche tellement vite que son cœur cogne dans sa gorge. Elle ne veut pas qu'on la rattrape. Elle peut aller très loin sans se retourner. Elle se répète spasmodiquement qu'elle sait fuir, qu'elle peut s'échapper de tout, qu'elle n'a aucune dette envers quiconque. Il n'y a rien de cohérent dans sa précipitation effrayée, mais elle doit se répéter qu'elle est en mesure d'échapper au danger, de défier l'autorité. Que personne ne peut plus l'arrêter.

Elle veut aller directement au terminus d'autobus, prendre le premier départ, peu importe la destination. Elle a du mal à se repérer, elle est au milieu du parc quand elle se rend compte que ce n'est pas la bonne direction. Elle rebrousse chemin, terrifiée. Elle va trop vite pour orienter ses pas. Elle ne trouve plus le terminus. Affolée, elle demande à un passant qui la fixe sans répondre, convaincu qu'il a affaire à une folle. Elle répète, exaspérée : « Le terminus ? » et elle est certaine de ne pouvoir se fier au « par là » vague qu'il lui jette avant de s'éloigner à toute vitesse.

Emmy presse le pas, le soir tombe vite en hiver. Elle voudrait être à l'abri avant la nuit. Avant la noirceur.

Une voiture se place en bordure du trottoir, elle entend la voix de Raymonde sans la regarder.

« Montez, Emmy. »

Elle hoche la tête et continue en espérant que ce soit clair : pas question de parler ou de monter. Quand elle n'entend plus le moteur, elle comprend qu'elle a gagné une manche et que Raymonde n'insistera pas. Elle ne se retourne même pas pour vérifier.

Arrivée à un croisement, elle entend des pas et fait vivement volte-face : Raymonde est là, quelques mètres plus loin, à pied, essoufflée. Elle a ce geste d'encouragement à continuer de sa main gantée, comme pour indiquer qu'elle ne doit pas se soucier d'elle, qu'elle est pratiquement incognito, qu'elle ne veut pas déranger.

C'est ce geste précipité qui stoppe Emmy : qu'est-ce qu'elle fait là si ce n'est pas pour l'arrêter, la freiner ? À bout de souffle, elle ahane : « Terminus ? »

Raymonde lui fait un autre geste, celui de continuer tout droit. Elle semble trop suffoquée pour parler.

Emmy repart, mais sa fuite est encombrée de pensées contradictoires. Quelque chose cloche. Pourquoi la suivre si c'est pour l'aider à fuir ? Pourquoi court-elle si elles courent ensemble ? Elle s'arrête et laisse Raymonde la rejoindre. Elles halètent toutes les deux, et se regardent, surprises de voir l'autre respirer aussi fort.

Raymonde hoquette un « pas en forme ! » en posant sa main sur sa poitrine.

« My God ! J'en peux pus ! »

C'est tellement vrai et tellement réciproque que le fou rire d'Emmy entraîne celui de Raymonde et les plie toutes deux l'une vers l'autre pour chercher un appui.

~ ~ ~

« Regretter, c'est accorder de l'importance à ce qui n'est plus. Aujourd'hui est tout ce qui importe, Emmy. On est immortel dans l'instant, point final. Pas dans avant. Pas dans demain. Faut laisser le vent emporter le passé, vous m'entendez ? Je ne sais pas de quoi est fait le vôtre, mais vous le traînez et il vous empêche de rire. Je voudrais au moins vous donner ça : vous rendre plus libre. »

Emmy ne comprenait pas le sens exact des propos de Jacky, mais elle avait assez d'expérience pour savoir qu'elle faiblissait, que sa voix s'altérait et que son fameux « maintenant » s'amenuisait. Le compteur de sa vie arrivait à la fin. Emmy avait averti sa supérieure qu'à partir de là, elle prenait congé et resterait auprès de Jacky. À titre privé.

« Vous lui avez dit "privé" comme dans "amie" ? Vous avez dit ça, Emmy ? C'est merveilleux… »

Emmy ne voyait rien de bien remarquable dans son attitude puisque Jacky lui avait demandé d'être sa « personne en cas d'urgence » depuis longtemps.

L'été régnait et la chaleur intense de la chambre n'était remuée que par un ventilateur qui émettait une sorte de soupir plaintif à chaque oscillation.

Emmy regardait la mort avancer dans le corps amaigri, dans le souffle syncopé, dans le teint pâli de la malade. Elle posait des débarbouillettes fraîches sur son front brûlant, humectait ses lèvres desséchées. Elle ne laissait personne la remplacer et surveillait de près ce qu'on lui administrait.

Épuisée, Jacky ouvrait les yeux de temps en temps et, la voyant, elle souriait. Ses mots étaient chuchotés et Emmy devait se pencher pour les saisir.

« Pardonner est plus facile qu'on pense. N'attendez pas. »

Emmy notait ces paroles dans le calepin parce qu'elle était dans l'urgence du moment et ne voulait pas perdre de temps à s'arrêter au sens des mots ou à des discussions inutiles. Mais elle voulait garder les réflexions pour plus tard, quand elle pourrait y repenser.

Comme si Jacky suivait son raisonnement, elle avait ajouté : « Je n'ai pas de formule secrète ou magique, mon amie, j'ai seulement confiance en vous. Promettez-moi une chose… »

Tendue vers elle, Emmy luttait pour ne pas paniquer, pour rester calme et permettre à Jacky de mourir en paix. Mais elle se sentait au bord de l'abîme.

« Débarrassez-vous de tous vos morts, moi y compris. Vous ne devez rien aux morts, Emmy. À personne. Rien. »

Un long silence avait suivi. Puis, Jacky avait ouvert les yeux et elle avait vaguement souri en la voyant penchée vers elle.

« Vous… à vous, vous devez quelque chose. »

Emmy entendait à peine. Elle ne saisissait pas ce qu'il y avait de si important et se répétait qu'elle y réfléchirait plus tard. Inquiète du son alarmant de la respiration saccadée, elle avait soulevé le drap pour voir si les pieds de Jacky étaient chauds.

Bleutés, de la couleur de la mort en marche qui saisit le corps par sa base. Elle avait posé ses mains sur les pieds déjà absents et entendu le souffle de Jacky répéter « à vous… »

Il était trop tard pour discuter ou promettre. Elle voyait Jacky et entendait Mimine. Elle voyait la femme mûre, vieillie, au bout de sa route, et elle entendait encore la petite fille épuisée qui était morte dans ses bras affolés d'enfant.

Elle avait déposé les pieds délicatement, avait mis sa main dans celle de Jacky et murmuré : « Je suis là, Jacky. Vous n'êtes pas seule… »

Le regard vitreux avait été traversé d'un éclair de reconnaissance puis s'était éteint, les paupières mi-closes, comme si l'énergie pour les fermer complètement avait manqué.

Emmy était restée là, la main dans celle de Jacky. Elle attendait que l'air se dépose, que son cœur à elle s'apaise devant le cœur stoppé de sa vieille alliée.

Dans la chambre étouffante, seul le ventilateur gémissait à intervalles réguliers.

Au bout d'un certain temps, par-dessus la rumeur lointaine de la ville, Emmy avait entendu un oiseau chanter. Un seul. Une mésange.

~ ~ ~

À aucun moment, Raymonde ne parle de ce qui s'est passé. Elle ne pose pas de question et n'aborde même pas le sujet de cette course effrénée. Elle regarde Emmy se diriger vers sa chambre sans ajouter un mot.

Assise sur son lit, enveloppée dans l'écharpe grise de Jacky, Emmy essaie de décoder ce qu'elle désire, où elle veut aller. Ce qu'elle a l'intention de faire, maintenant.

Elle a encore peur. Elle aura donc toujours peur ? Il n'y a pas d'endroit où la peur est absente. Parce que la peur habite au fond d'elle.

Elle voudrait la déloger, l'abattre, la tuer sans atteindre les parois de son habitat, puisque c'est son corps.

Elle ne veut pas mourir. Elle ne veut pas partir ou courir plus vite que la menace, elle veut que ça arrête.

Que ça cesse. Le battement sourd de la peur qui a scandé chaque pas de sa vie. Qui l'a menée jusque-là. Même dans ses départs, même quand elle a refusé, quand elle s'est battue, la peur dominait.

Ce n'est pas pour affirmer quoi que ce soit qu'elle a agi, mais poussée par la peur. La compagne la plus sûre de sa vie, le despote auquel elle s'est soumise en croyant le vaincre.

Peur de perdre le peu qu'elle possédait. Peur de n'être que ce rien qu'elle se savait pourtant. Peur d'être à jamais écrasée de peine, pulvérisée de chagrin, condamnée à expier elle ne sait quel péché. Peur de ne jamais trouver une halte, une oasis, une sorte de paix, même temporaire.

Elle ramasse le sac de nylon bleu au fond du tiroir et y place ses maigres possessions. Le calepin est ouvert sur la dernière phrase de Jacky : *À vous, vous devez quelque chose.*

Elle ne voit pas quoi. Elle a fait ce qu'elle a pu. Vraiment.

La peur a gagné, elle s'incline. Elle sera une errante à jamais. Une sans-racine, sans-statut, une sans-rien qu'on appelle communément moins que rien.

Ce n'est pas si grave, c'était mal parti de toute façon. Sœur Marie-des-Anges lui avait révélé que son nom venait de son ivrogne de mère, le jour où elle avait abandonné le nourrisson, fin soûle. En voulant donner son nom, elle avait eu un rot. Au lieu d'Émilie, ça avait donné « Emmy — beurp — lie ».

Sœur Marie, la bien-nommée, riait aux anges en racontant l'anecdote à qui voulait l'entendre. Le surnom d'Emmy au pensionnat était « Beurp ». Ce n'était même pas méchant, la plupart des enfants sachant très bien ce qu'étaient les méfaits de l'alcool sur un parent, même aimant. Tous avaient d'ailleurs hérité d'un nouveau prénom au baptême catholique.

Sa mère l'avait abandonnée après s'être soûlée. Et alors ? Ça voulait peut-être dire qu'elle trouvait ça dur de se séparer d'elle. Pourquoi pas ? Quelles que soient ses raisons, Emmy ne lui doit rien, comme elle n'a aucune dette morale envers les sœurs à l'humour douteux et envers les prêtres prédateurs.

Pourquoi se devrait-elle quelque chose ? Elle a fait ce qu'elle pouvait avec le peu qu'elle avait. Elle n'est quand même pas venue au monde pour réparer les erreurs des autres ! Elle n'est pas le christ et elle ne finira pas crucifiée, ça non ! Qu'ils aillent tous au diable !

Le tiroir est refermé avec brutalité et le son est répercuté dans le coup frappé à la porte.

Raymonde est déjà en robe de chambre : « Je veux juste vous dire que si vous voulez aller au terminus, je vous y conduirai. J'y tiens.

— Pourquoi ? »

Son ton est agressif, accusateur. C'est plus fort qu'elle, elle ne comprend jamais les mobiles des bonnes actions. La bonté la déconcerte, elle ne s'y fie pas.

Raymonde sourit : « Parce qu'on s'entend bien. Vous n'avez pas remarqué ? »

Si elle s'écoutait, Emmy répéterait son « pourquoi ». Elle reste là, démontée par l'attitude bienveillante de Raymonde.

Elle finit par murmurer : « Je sais pas quoi faire… »

Rien n'a l'air d'inquiéter Raymonde, comme si la peur ne faisait pas partie de ses connaissances.

« Bon… alors attendez de le savoir, c'est tout. Laissez passer le choc. »

Emmy sursaute : « Quel choc ? »

Raymonde hésite à expliquer son interprétation de ce qui s'est passé. Prudente, elle regarde Emmy franchement : « Ce qui nous a valu notre marathon. Ça sera ce que ça sera, la surprise, la crainte, un mauvais souvenir, l'odeur de sous-sol d'église, peu importe. Pas besoin d'être un grand psychologue pour savoir que vous avez eu peur et que vous avez détalé. C'est un bon réflexe, non ?

— Vous pensez ?

— Me semble… Il y aura toujours des champions pour affronter les dangers comme au cinéma, mais disons qu'ici, à Joliette, c'est plutôt partir en courant qui serait d'usage en cas de danger. En tout cas, moi, c'est ce que je ferais. Y a du thé chaud en haut, venez donc. »

Ça, Emmy peut le prendre. Pour l'instant, c'est d'ailleurs la seule chose qu'elle peut accepter.

~ ~ ~

La mort de Jacky avait entraîné un chapelet de réactions. Outre la prévisible razzia de Sébastien dans la chambre de la morte, la directrice avait fait venir Emmy pour lui reprocher de n'avoir alerté personne devant l'imminence de la fin. Elle comprenait le fils de se montrer suspicieux concernant d'éventuels « emprunts » que le personnel aurait pu faire.

« Je ne parle pas des professionnels qui sont irréprochables puisqu'ils ont des références. »

Engagée sans diplôme, sans expérience pertinente pour les soins, sans même une enquête sur ses antécédents, Emmy avait été à l'essai pour l'entretien des lieux. Ce n'est qu'à l'usage que ses talents d'aide aux bénéficiaires avaient été découverts et utilisés sans autre formalité. La directrice s'en félicitait, mais elle voulait éviter les « problèmes ». Et Sébastien en soulevait beaucoup. Ce qui semblait périlleux aux yeux de la directrice pour la réputation de son établissement privé, c'était bien la perspective d'une poursuite pour abus de confiance envers une personne âgée fragilisée et dépendante. Elle préférait de beaucoup se ranger aux dires de Sébastien pour éviter le pire.

Brûlée de fatigue par ses jours et ses nuits de veille, Emmy avait trouvé généreuse la proposition de prendre deux jours supplémentaires de repos. Le temps que Sébastien emporte les affaires de sa mère.

« Vous n'avez rien pris dans la chambre, bien sûr. N'est-ce pas ? »

Cette dernière question avait presque l'air de lui accorder un peu de confiance. Presque.

Ghyslain avait été la deuxième réaction négative à sa présence auprès de Jacky. Il ne croyait pas un instant qu'une vieille moribonde qui ne la payait même pas avait été la cause de son absence prolongée.

Il lui avait offert une scène digne de sa vanité : elle avait trouvé mieux que lui et il ne se laisserait pas *domper*. Personne ne l'avait jamais « crissé là », et ce ne serait pas elle qui commencerait.

Emmy n'aspirait qu'à une chose : sa douche. Ghyslain avait claqué la porte sur des menaces qui la laissaient très calme : beaucoup de bruit, peu d'action, ça résumait ce compagnon auquel, de toute façon, elle ne tenait pas.

Il avait tempêté pendant toute une soirée en revenant du garage où il transformait des Harley en *choppers* de concours. Il était gonflé à bloc et déterminé à connaître le trou-de-cul qui l'évinçait. Emmy n'argumentait pas, elle le laissait hurler, repliée sur elle-même, habitée d'un étrange sentiment d'effondrement.

Le dernier coup avait été assené par un monsieur Langlois — un notaire qui voulait la rencontrer.

Évidemment, quand il avait appelé, c'est Ghyslain qui lui avait crié que son nouveau chum venait la relancer jusque chez lui. Il continuait alors qu'elle prenait l'appel : elle n'était que coloc et elle était arrivée après lui, c'est elle qui décamperait.

La voix de monsieur Langlois avait quelque chose de précipité et de très mal à l'aise.

« Je propose de vous rencontrer à votre lieu de travail, demain à dix heures. Ça vous irait ? C'est en rapport avec Jacqueline Messier. »

Et il avait raccroché. Ghyslain, lui, avait continué.

C'est un monsieur poli, sérieux et tiré à quatre épingles, qui s'était excusé pour les désagréments que son appel avait suscités dès qu'elle était arrivée dans le hall de l'établissement. Pour gagner un peu de discrétion, ils étaient allés s'asseoir dans le carré de cour où le seul arbre semblait flétri à cause de la chaleur.

Le notaire Langlois lui avait tendu une lettre et annoncé qu'elle était l'unique héritière de madame Jacqueline Messier. Sans lui permettre d'exprimer la moindre réaction, il avait enchaîné : « Elle m'avait prévenu des difficultés inhérentes à cette décision, de la contestation certaine dont le testament ferait l'objet et même de votre réticence à accepter cet héritage. Voilà pourquoi je suis là plutôt que dans mon étude. Cette lettre est pour vous. Je suis le gardien de la succession à laquelle vous pourrez toucher dans quelques mois, une fois les rapports d'impôt et les éventuels problèmes de contestation terminés. Je peux vous verser une avance, mais la totalité et même la précision du montant ne seront pas disponibles avant un certain temps. Je m'occuperai de tout l'aspect légal, j'ai tout ce qu'il faut pour décourager les poursuites. Vous pourrez m'appeler à l'un de ces numéros pour me donner vos instructions, à votre convenance. »

Il lui tendait la lettre et sa carte. Tétanisée, Emmy n'avait que murmuré « Jacky » en regardant l'enveloppe où l'élégante écriture donnait presque de la classe à son nom inscrit : *Emmy Lee.*

« Je m'occupe de tout. J'ai été engagé pour ce faire. Et le cabinet dispose d'avocats réputés. Si vous avez des questions, n'hésitez pas, appelez-moi. Pour ma part, je n'essaierai plus de vous joindre à votre domicile et je m'excuse encore des problèmes que j'ai pu causer. »

Emmy regardait toujours l'écriture sur l'enveloppe. Les mots de monsieur Langlois glissaient sur elle, elle ne cherchait même pas à les comprendre.

Il s'était levé, avait tendu la main en lui disant au revoir et avait disparu en vitesse. Pour la toute première fois de sa longue carrière, on ne lui avait pas demandé de fournir un montant, même approximatif.

Le dernier coup avait été porté par la directrice. Alertée par Sébastien, elle avait transmis à Emmy ses doutes sur des manipulations honteuses à l'égard d'une patiente affaiblie et vulnérable en vue de dépouiller ses proches de leur légitime héritage. Elle avait juré au fils de cette dame qu'elle ignorait tout des manigances ou des ruses d'Emmy pour obtenir ces sommes, mais elle devait prouver sa bonne foi en la renvoyant.

« De toute façon, avec ce que vous allez ramasser, vous ne voudrez plus être préposée. »

Elle se sentait donc très à l'aise de lui signifier son congé. Emmy n'avait plus qu'à vider son box et remettre la clé à qui de droit.

« Et je vous conseille de ne pas vous montrer aux funérailles, parce que vous ne serez pas la bienvenue. »

Le lendemain matin, elle refermait la porte de l'appartement où Ghyslain ronflait.

Dans son sac bleu, ses maigres possessions, son calepin et la lettre encore cachetée de Jacky.

~ ~ ~

Elle n'est pas partie.

Elle ne sait pas pourquoi. Elle n'a pas davantage donné d'explications à Raymonde qui, d'ailleurs, n'a rien réclamé de la sorte.

Elle se sent aussi glacée que l'hiver qu'elle traverse. Le parc est muet, aucun oiseau, pas un seul passant — même la neige des sentiers dégagés par les chenillettes est vierge de tout pas.

Elle est seule à traverser ce parc, à longer la rivière et à revenir vers la ville.

Elle pousse la grille de fer du cimetière qui résiste, la base étant prise dans la glace. Elle se faufile dans l'étroit interstice qu'elle a réussi à dégager et traverse les allées où les stèles portent toutes leur poids de neige intouchée. Comme si personne n'était venu depuis le début de l'hiver.

« Laissez vos morts derrière, Emmy. Arrêtez de vous en préoccuper. Ils s'arrangent très bien. »

Emmy déteste l'église, mais elle adore les cimetières, ces endroits pleins de gens, mais désertés. Ces endroits reposants parce qu'aucune menace de vivants ne les hante.

Seule la mémoire y règne. Chaque nom gravé est une histoire. Chaque nom est une appartenance au monde et les dates encadrent la durée de cette appartenance.

Elle ignore où est déposé le corps de Jacky. Ou ses cendres. Elle espère qu'Éric est près d'elle, qu'ils se côtoient puisque l'amour de sa vie, c'est lui.

Jacky rirait de ses préoccupations : l'amour de sa vie n'a pas à être dans sa mort, ce sont des idées idiotes de vivants de vouloir persister au-delà de leur vie. C'est dans sa vie qu'il faut régner.

Elle s'arrête au carré clôturé qui contient les enfants morts sans avoir été baptisés. Ces enfants qui n'ont pas été absous de leur péché originel et qui n'entreront jamais dans le Royaume des cieux. Le carré des limbes. Celui des âmes errantes à jamais.

Ni baptisés ni nommés, à jamais anonymes, les petits corps apatrides. Ni à Dieu ni à Diable, ceux qui ne seront pas ressuscités, les déméritants, les oubliés des hommes et du divin.

Aussi bien, se dit Emmy. Mieux vaut être oublié que massacré. Mieux vaut être rejeté qu'inclus dans cette race bien pensante qui impose sa foi, ses lois et ses déviances aux indignes qui ne pratiquent pas leurs mœurs.

Elle touche le grillage noir. Mimine est quelque part dans un carré des limbes. Elle avait pourtant été baptisée, mais Emmy est persuadée qu'un enterrement dans un cimetière catholique ne lui a jamais été accordé. Retournée au silence qui a rendu sa vie intolérable. Retournée à la nuit, au mépris, à cette pitié si généreusement distribuée dans le regard condescendant des sœurs, ces complices silencieuses.

Personne n'a éprouvé le moindre espoir pour Mimine — on ne sauve pas les âmes damnées, on se sauve soi-même en faisant son possible et en restant convaincu de la désespérance de cette charité. Tant de mépris. Tant d'incompréhension muée en arrogance, celle des religieux persuadés qu'aucun geste, même le plus sale, le plus repoussant, ne leur sera reproché parce que posé sur des bannis, des oubliés, des sauvages.

Elle n'est pas des leurs et elle le regrette. Elle est la sœur jumelle de Mimine, sa pareille, elle est sa mère déchirée qui l'a attendue, sa famille éloignée avec violence, sa protectrice impuissante et vaincue. Sous prétexte de la sauver du pire, on l'a détruite. Et ceux qu'on n'a pas réussi à vaincre par la faim, le froid et l'indifférence, on les a marqués du fer rouge des attouchements et du sexuel dépravé. Le sexuel qui se paie une bonne tranche de plaisir aux frais des enfants terrifiés.

« Laissez vos morts derrière, Emmy. »

Oui, bien sûr. Mais quand les morts sont nos seuls vivants, nos seuls pareils, on fait quoi, Jacky ? Quand personne ne répond à nos cris, la nuit, parce que ceux qui entendaient sont morts, on vit comment ? On continue pour quoi ?

Les morts s'arrangent peut-être bien sans nous, mais ceux qui vivaient mieux grâce à eux, ils font quoi, après ? Ils s'arrangent comment ?

Elle est un bloc de glace appuyé contre une grille préservant la terre des élus de Dieu de toute contamination avec la horde des sauvages anonymes. Elle sait bien que cette terre est vide, que les corps légers des enfants se sont dissous depuis si longtemps qu'aucune résurrection ne pourra les rassembler en un corps cohérent. Elle sait surtout qu'elle porte en elle la mémoire blessée des sans-noms. Ce que Jacky ignorait et ne pouvait deviner, malgré toute son intelligence et sa finesse.

Elle secoue ses pieds contre la grille pour en décoller la neige. Elle a l'impression de botter le fer forgé. Son geste est innocent, mais il serait mal interprété par quiconque le surprendrait.

Comme sa vie.

~ ~ ~

En quittant Tony et son casse-croûte de troisième ordre, Emmy avait opté pour la grande ville, celle où elle ne ferait pas tache, celle qui l'absorberait dans un réconfortant anonymat : Montréal.

Encore une fois, son mode de vie frugal avait permis à ses économies de durer, le temps de trouver un travail et un lieu où habiter.

Le motel de la rive sud du fleuve avait un besoin urgent de quelqu'un sachant nettoyer à fond, mais elle ne voulait pas postuler pour une répétition de sa vie passée.

Faire du ménage, d'accord, mais pas dans un motel minable qui accueille les clients pour deux heures payées quatre. Ramasser des condoms dans des draps souillés ne faisait plus partie de ses aspirations professionnelles.

Le premier centre de soins de longue durée qui l'avait engagée connaissait une telle pénurie de personnel non soignant qu'elle aurait pu devenir aide-cuisinière sans autre formation si elle l'avait désiré. Mais l'idée d'être en charge de deux étages et de voir à leur absolue immunité contre les persistants microbes lui semblait un défi exaltant. Sa seule exigence avait été pour les produits nettoyants. L'eau de Javel, malgré son odeur, demeurait la seule garantie de réussite. Elle n'avait pas passé treize ans au pensionnat sans avoir appris les bases de la désinfection en même temps que celles de la désaffection.

Quelques mois plus tard, Ghyslain était venu livrer un Harley « grandement amélioré » à un client du motel. Le regard appuyé, la cigarette offerte avec l'air de ne pas y toucher, il s'était montré intéressé.

Revenu au motel sur sa propre moto, il lui avait tendu un casque en lui promettant l'expérience de sa vie.

Il l'avait conduite au bord du fleuve, là où l'horizon s'élargissait, là où l'eau prend des airs d'infini. Surpris qu'elle n'ait jamais vu ça, il lui avait proposé de l'emmener pas mal plus loin, là où vraiment le fleuve devient la mer.

Les paysages traversés durant ces trois jours l'avaient éblouie. De Rimouski à la Gaspésie, le Saint-Laurent l'avait happée, fascinée. La lumière que l'eau reflétait, l'espace sans heurt, sans blocage, le fleuve offrait une liberté qu'elle n'avait jamais imaginée.

La révélation avait été d'ordre maritime pour elle. Ghyslain, lui, l'avait sautée rapidement trois fois en évoquant le rappel impérieux du sexe dans les vibrations de la moto. « Ça donne le goût en crisse, trouves-tu ? »

Emmy ne trouvait pas, mais si le prix à payer était aussi simple et rapide, ce n'était pas au-dessus de ses moyens. Tant que Ghyslain ne s'attardait pas, elle pouvait l'endurer. Et Ghyslain n'avait aucune fantaisie à son palmarès sexuel, aucune variation. C'était un métronome du sexe : même heure, même tempo et même issue.

Il refusait de venir la rencontrer au motel, il voyait cela comme se payer les services d'une escorte. Il prétendait que leur affaire n'avait pas ce côté cheap. Emmy s'en fichait. Elle n'aimait qu'une seule chose : leurs escapades vers le fleuve, le vent qui lui cuisait le visage, le bruit même qui empêchait toute conversation puisqu'elle refusait le micro sur son casque.

Ghyslain détestait se relever pour la conduire à son « motel de passes ». Il l'avait donc convaincue de s'installer avec lui en coloc.

Sa plus grande admiration avait été pour la légèreté de ses possessions : « Rien d'autre ? Tu veux dire que c'est ça, ton bagage ? *That's it ?* Wow ! »

En dehors d'une séance de cinéma tous les quinze jours, rien ne venait brouiller la routine : Ghyslain avait ses chums de bière, ses chums de *bike* et il ne mélangeait pas les saveurs.

C'est une fois rendue dans le deux et demie de la rue Adam qu'Emmy avait trouvé son dernier travail en résidence privée.

Et rencontré Jacky des années plus tard.

~ ~ ~

C'est à croire que sa course folle vers le terminus l'épuise encore. Depuis son retour dans cette chambre, elle se répète qu'elle doit partir, que c'est urgent. Elle évite Raymonde et sa générosité. Elle se tient avec ses morts et reprend ses errances à travers la ville. Le sommeil la fuit, l'appétit aussi.

Elle marche, le cœur lourd, elle doit se répéter d'avancer, de poursuivre sa route. Mais elle est convaincue d'être arrivée au bout. De n'avoir plus rien à offrir ou à prendre. Ce qui l'étonne, c'est d'avancer encore, même sans but. C'est d'être encore si vivante, alors que tout est sec et mort à l'intérieur.

Elle se répète que cela ne changera pas, qu'elle traînera cette carcasse encore longtemps, jusqu'à l'épuisement total. Elle ne veut ni se tuer ni s'abîmer. Depuis quand tue-t-on un cadavre ? Elle n'est qu'un vide entouré de peau. Une fausse personne avec un faux nom qui n'a accueilli en son corps que des amateurs de faussetés — faux-semblants — faussaires. Hommes de dieu affamés d'enfants ou hommes de pouvoir qui imposaient leurs désirs gluants. Elle a poursuivi comme elle a été initiée : en violence et en silence. Elle n'a mordu personne, elle a même affirmé que c'était parfait, plaisant. Pour que ça finisse. Pour que son vide de corps soit laissé à sa vacuité. Elle n'a tendu la main vers personne sauf pour nettoyer, panser et alléger la peine inscrite dans les plis usés des corps décatis.

Pourquoi laisserait-elle ses morts derrière ? Ils sont ses seuls vivants. Même Jacky veut s'enfuir plus loin que sa mort ? Jusqu'où iront-ils pour échapper à sa mémoire ? Elle n'a qu'eux, elle ne veut pas les perdre. Elle n'a rien d'autre que sa perte pour se rappeler que quelqu'un est passé, que quelqu'un a parlé avec elle, l'a considérée.

En se disant ces mots, elle sait qu'elle triche. Qu'elle s'enfonce volontairement, toute seule.

Elle est prête à partir, la formule est griffonnée sur une feuille arrachée au calepin : *Merci. Pour tout.* Ce bon vieux mot, si pratique. Ce merci, si vaste qu'il ne veut plus rien dire. C'est évidemment insultant pour quelqu'un d'aussi prévenant que Raymonde. Mais Emmy n'a plus le luxe des mots. C'était à Jacky, pas à elle. Elle n'a plus le cœur à remercier vraiment. Il n'y a plus aucune gratitude au fond d'elle. En fait, en écrivant, elle avait les dents serrées de colère. Une sorte de rage impuissante qu'elle ne comprend pas. « Merci », comme si cela avait jamais eu le moindre sens ! Elle sait que Raymonde n'est pas celle qui l'a exploitée, abusée, loin de là, mais elle obtiendra le merci de la fausseté puisque c'est tout ce que son vide lui permet.

Elle sait qu'elle est injuste, rancunière et qu'elle ne pointe même pas la bonne cible, et cela l'enrage encore plus. Elle n'y peut rien, elle n'a plus de réserve de cœur ou de faux-cœur.

Elle n'a que cette fureur de devoir encore fuir, partir, cette certitude qu'il n'y a aucune place pour elle dans ce monde qu'elle abhorre de toute façon. Elle le méprise comme on l'a méprisée. Elle crache dessus comme on lui a craché dessus. Elle ne réclame ni vengeance ni justice, elle se fout de ces concepts creux, elle ne veut que la paix. Qu'on la laisse tranquille, qu'on ne lui demande plus rien, ni si elle est bien, ni si elle désire quelque chose, ni si elle a joui. Elle réclame le vide. Le sien. Impeccable.

Assise sur son lit, le manteau sur le dos, le sac bleu de nylon ouvert sur les genoux, elle tient la lettre de Jacky et hésite.

Elle ne la lira pas. N'est-ce pas elle qui voulait la voir s'éloigner de ses morts ? Elle va laisser les mots des morts rester avec les morts.

Les morts ne nous parlent pas. Ils nous laissent nous débrouiller avec nos problèmes. Les morts ne sont d'aucune utilité pour nos vies. Sauf pour nous peser dessus et nous écraser de peine.

Furieuse contre elle-même, Emmy déchire l'enveloppe d'un coup sec.

Le geste l'horrifie. Elle voit le papier à l'intérieur dans l'échancrure créée. Les mots tracés de la main de Jacky, la seule main qu'elle a tenue avec amour depuis tant d'années, la seule main fiable qu'elle a saisie sans crainte. Elle a l'impression d'avoir tué son amie.

Pétrifiée, elle fixe chaque moitié de la lettre répartie dans chacune de ses mains. Elle n'a jamais pu la lire, l'ouvrir, et là, c'est comme si le parfum de cette merveilleuse femme s'échappait des bords brisés. Comme si elle la forçait à mesurer sa perte. À prendre conscience que c'était terminé. Le silence. Elle tient le silence. Elle n'extraira pas les feuillets des bouts d'enveloppe. Elle ne peut pas. Elle est paralysée et elle reste là, prête à partir, chaque main occupée du vestige de ce qui n'est plus, mais qui est encore. Horriblement consciente qu'elle tient une vérité beaucoup plus nuancée que ce fatras de violence dont elle se berce pour justifier son manque de courage.

~ ~ ~

« Le 15 juin 2018,

Chère Emmy,

J'ai voulu vous adopter. Cette boutade lancée à la directrice est devenue une obsession, dernièrement.

Sébastien — qui d'autre ? — a exalté ce désir en faisant la seule chose dont il est capable, j'ai nommé "fouiner". Devant mes refus de le voir, parce qu'il ne pouvait s'imaginer que je le décide de mon propre chef, il a cherché un responsable de ce qu'il appelle mon éloignement. Il aurait pu s'épargner cette peine puisqu'il est l'artisan de son malheur, mais bon, il préfère un autre coupable que lui-même.

Il a décidé que c'était vous, mon Iago (la référence vous est sûrement inconnue. Pour résumer, il s'agit d'un personnage maléfique qui excite les bas instincts d'une personne) et il a cherché à me prouver vos intentions de rapace en enquêtant sur vous.

Je sais donc qui vous êtes. D'où vous venez et quelle institution a massacré votre enfance, puisqu'elle a fait l'objet d'une enquête aux conclusions effarantes.

Je n'ai aucunement l'intention de vous parler du passé. J'ai bien sûr l'amer regret d'avoir ramené ces choses à votre esprit en vitupérant contre le sort des pensionnaires de ces trous de misère, mais j'ignorais alors que cette réalité avait été la vôtre.

Sachant cela, j'ai tout fait ensuite pour vous adopter — vraiment. L'avocat que j'ai engagé est formel : ce serait complexe, long et votre consentement est exigé.

Puisque pendant tous ces mois de connivence vous n'avez jamais effleuré de sujet d'ordre privé, j'en déduis que mon offre vous fâchera et vous éloignera.

Mais le principal problème qui me pousse à renoncer à officialiser notre "filiation", c'est essentiellement que je n'ai plus de temps devant moi. Je vais mourir, Emmy, je n'ai pas le moyen de retarder l'issue. Mon temps est venu, vous le savez aussi bien que moi. Mon cœur a des ratés et il prépare son coup bas.

Que faire ? Vous parler de ces projets ? Vous révéler que je sais quelle solitude et quelle tristesse ont régné sur votre enfance ?

À treize ans, on vous a déclarée disparue. La mention "présumée décédée" clôt votre dossier. Comme vous voyez, Sébastien a travaillé très fort. Croyez-vous que ces terribles découvertes aient attendri son cœur ? Devant sa réaction, je peux imaginer la compassion dont vous n'avez probablement jamais bénéficié.

Alors, devant l'impossibilité de vous laisser mon nom avec mon affection, je vous laisse tout ce que j'ai de physique pour témoigner de ce qui ne l'est pas : mon attachement profond.

Évidemment, je suis très consciente que je vous lègue également l'obligation de contrer la rapacité de Sébastien.

Et aussi sa fureur qui ne s'exprimera pas autrement qu'en essayant de vous blesser. Les avocats seront au premier rang, laissez-les faire.

J'ai donc rédigé un testament en béton et j'ai prouvé que je le faisais en toute connaissance de votre passé. J'espère seulement que vous n'avez empoisonné personne pendant les années où on vous a perdue de vue! Je blague, je sais qui vous êtes vraiment. Il me fallait certifier que mon legs n'était pas celui d'une vieille femme abusée par une manipulatrice particulièrement habile.

Chère Emmy, j'espère que vous comprendrez mon silence qui voulait vous respecter et ne pas vous effrayer. Était-ce la bonne manière? Je l'ignore. Cet excès de pudeur à votre égard n'était pas un manque de courage de ma part, plutôt un consentement à votre silence qui imposait le mien. J'ai une confiance absolue en votre cœur. Nous avons connu un seul affrontement et c'était au sujet du vide, alors que j'essayais de combler le mien en vous forçant à partager le vôtre. Je m'en excuse.

Je vous en prie, prenez cet argent en souvenir de notre complicité qui a été la félicité de mes derniers jours. Si vous ne le faites pas pour vous, faites-le pour moi afin que le fruit de mon travail ne finisse pas en des mains indignes de moi.

Ne m'en veuillez pas de mon silence, c'était pour respecter le vôtre. Et dites-vous que la malveillance de Sébastien aura permis quelque chose de bien. Une fois n'est pas coutume! N'ayez aucune pitié pour lui: il n'a pas hésité à m'exhiber son dossier sur vous, au risque de me tuer.

Vous le savez, mais je l'écris pour les jours gris : vous êtes ma fille aimée, Emmy. Ma fille aimée et aimante.

Jacky. »

En post-scriptum, elle avait ajouté les coordonnées du notaire Langlois.

~ ~ ~

Le notaire Langlois ne l'attendait pas. Il comprend à sa première question que cette succession fera partie des annales à titre de saisissante exception. Irrégulière, compliquée, retardée par des gens se prétendant lésés de leur dû, c'est l'histoire commune des successions dont il s'est chargé au long des années. Mais cette femme silencieuse qui n'acceptera aucun mensonge ou biais de sa part, cette attente froide et digne de tout autre chose que l'argent, il n'a jamais été témoin d'une pareille attitude.

« Je vous le déconseille. Il s'agit avant tout d'une annexe pour attester de la connaissance absolue des faits… ce n'est pas à proprement parler les dernières volontés de… »

Elle tend la main, sans un mot. Elle attend patiemment, sans retirer sa main. Maître Langlois comprend qu'il est inutile d'argumenter. Il lui tend une mince chemise contenant à peine quelques feuillets.

« Je ne suis pas certain que ma cliente m'autoriserait à partager… »

Elle l'interrompt poliment en le remerciant et elle se lève.

« Attendez ! J'ai quand même des papiers à vous faire signer, une avance substantielle peut être versée dans les prochains jours... »

Elle lui promet de revenir et elle s'enfuit presque, en serrant le sac bleu dans lequel elle a vivement enfoui le dossier. Si elle ne lui avait pas serré la main, il n'aurait jamais cru à son éventuel retour.

Force lui est d'admettre que s'il s'agit de la même personne que celle dont traite le dossier, elle a changé. Et beaucoup.

~ ~ ~

Menteuse, insolente, perfide, fabulatrice qui inventerait n'importe quoi pour se rendre intéressante. Personnalité inquiétante et révoltée quoique muette. Ne sait pas recourir aux vertus de la religion. Probablement un peu demeurée, incapable d'apprendre. Rusée — se méfier. Réfractaire à l'autorité des représentants de Dieu. Respect totalement absent. Mauvaise : à garder à l'œil.

En lisant ces seules phrases, Emmy retrouve l'odeur nauséabonde du pensionnat, la façon dont les sœurs roulaient les « r ». Elle s'interrompt, prise de nausées.

Heureusement, la photocopie des notes de son passage à l'orphelinat tient sur une seule page.

L'histoire de son nom, ou plutôt de la méprise concernant son nom y est relatée.

« *Mère n'ayant pas accouché en milieu hospitalier et soûle au dépôt de l'enfant. Elle s'est enfuie avant de remplir et signer les papiers officiels. Le patronyme est sujet à caution — un malaise ayant scindé le nom donné par la mère — mais c'est tout ce dont a disposé la religieuse chargée de l'accueil.* »

Les bonnes sœurs qui avaient baptisé tant d'enfants et imposé de nouveaux prénoms catholiques sans y voir autre chose qu'un cadeau n'avaient pas osé effacer les seules traces d'origine d'Emmy.

Les longues recherches de Sébastien dans les archives de l'État pour authentifier son ascendance ou pour retrouver « Madame Lee, mère » témoignent bien de l'inutilité de cette source. Cette mère ne s'appelait fort probablement pas Lee.

À l'entrée « nationalité », on avait inscrit « Canadienne française ». Elle ignorait qui avait ajouté à l'encre rouge « pas Indienne ».

Évidemment, si sa mère avait les cheveux aussi châtains que les siens et les yeux d'un bleu gris aussi éloigné des caractéristiques autochtones, c'était difficile de la qualifier d'Indienne. Elle se souvient que le jour où on les avait rasées à cause d'une épidémie de poux, ses cheveux avaient repoussé avec des éclats de roux. Le rejet avait été systématique : les poux venaient des roux.

Le dossier des sœurs s'arrête à la mention « *Probablement décédée* » qui suit celles de ses deux évasions. La première est inscrite alors qu'elle avait huit ans. Emmy ne se rappelle pas qu'elle avait échoué avant de réussir. Et que cinq ans séparaient sa seconde tentative de la première. Elle croyait n'en avoir fait qu'une. Elle n'avait pas dû aller bien loin à huit ans.

L'autre grande surprise est l'absence totale de Mimine. Nulle part, celle qui a sauvé son enfance, celle pour qui elle serait morte n'est signalée. Seul son passage à elle à l'infirmerie est inscrit. *Six semaines. Tuberculose probable. À surveiller.* Elle avait sept ans.

Emmy referme le dossier. Les efforts de Sébastien, ce qu'il déduit de ses découvertes, attendront. La feuille concernant ses origines lui donne des frissons de dégoût, inutile de s'achever avec des conclusions prévisibles d'inaptitude totale frôlant la débilité.

« *Fabulatrice* » est probablement le terme qui indique qu'elle a tenté de dénoncer le prêtre qui fouillait sous sa robe. La supérieure horrifiée l'avait envoyée expier ses calomnies à la chapelle, justement. Là où le prêtre lui avait fait ravaler ses mensonges en répétant les gestes « inventés ». Là où elle avait appris que l'impureté des représentants de Dieu était la sienne. Qu'il fallait se défendre d'elle et d'elle seule.

La pensée de Jacky la réconforte : elle peut imaginer ce que cette femme avertie a déduit des quelques lignes rédigées par ses tortionnaires. Elle sait combien cet étalage de jugements négatifs n'a jamais ébranlé la confiance de Jacky. Au contraire.

Il n'y avait que Sébastien pour y voir la confirmation de ses suspicions.

~ ~ ~

Le léger coup frappé à la porte indique que Raymonde a déposé un café sur le guéridon. Depuis le bref voyage d'Emmy à Montréal, leurs rapports se sont espacés sans se rafraîchir… et le café est déposé de nouveau à sa porte plutôt que pris ensemble à la cuisine.

« Je suppose que vous avez des choses à régler et que si vous ne me demandez rien, c'est que je ne peux pas vous aider. Je ne suis pas inquiète, vous saurez où me trouver si jamais je peux faire quelque chose. »

Toute Raymonde Pépin est dans ce respect pour ceux qu'elle fréquente. S'il y a un « merci » senti dans la vie d'Emmy, c'est bien celui qu'elle lui offre.

Sébastien a cherché la mère d'Emmy comme un orphelin déterminé à incarner son fantasme. Il a engagé un détective privé et s'est lui-même investi dans sa quête de vérité. En vain. Chaque rapport ne met qu'une seule chose en lumière : cette fille-mère ivre est disparue et sa fille n'apparaît nulle part après sa fuite de l'orphelinat. Selon Sébastien, il est évident que la mort probable de celle qui lui nuit n'est pas possible. Il a fouillé pour prouver que la faussaire qui lui vole son héritage est bien cette fugueuse, cette menteuse à qui on ne doit jamais prêter foi.

Des rapports laconiques, plutôt ennuyeux et imprécis — telle personne rencontrée à telle date — ne font apparaître aucun lien réel entre elle et l'orpheline perdue. Aucune raison de croire à de la dissimulation de sa part, finalement.

Il n'y a que deux entrées un peu plus étoffées dans les rapports du détective. Celle de la directrice de son emploi sur la Rive-Sud qui a précédé le « palais des vieux » comme l'appelait Jacky, et une certaine Lucette Grégoire de Trois-Rivières qui administre un foyer pour femmes victimes de violence.

Les ex-employeurs de la Rive-Sud ont semblé mettre beaucoup plus d'emphase sur les raisons qu'ils ont eues de ne pas déclarer cette employée payée en dessous de la table que sur ses qualités ou défauts.

« Rien de suspect à signaler. Travaillante. Aucun vol ou incident de ce genre déclaré lors de son passage. »

Le rapport le plus long concerne Lucette Grégoire : âgée de soixante-dix ans, c'est une femme posée et dévouée qui a passé sa vie à aider les femmes victimes de violence conjugale. Le rendez-vous a été pris à l'extérieur de sa résidence, personne ne devant connaître cette adresse pour des raisons de sécurité évidentes.

L'enquêteur a semblé sous le charme de la dame. Il n'a que des éloges pour son dévouement. Le rapport conclut qu'elle a connu Emmy Lee brièvement, à une époque où elle travaillait à l'orphelinat maintenant fermé. Curieuse de savoir ce que cette petite est devenue, elle en a dit très peu, mais avec énormément de conviction : elle l'a croisée du temps où elle faisait un stage dans cette institution, et c'était une enfant sage et obéissante. Très jolie et peu bavarde.

Posant davantage de questions que l'enquêteur, elle s'excusait toujours de ne pas être en mesure de l'aider. Mais elle affirmait sans l'ombre d'un doute que l'enfant qu'elle avait connue n'était ni menteuse ni voleuse.

«*Prête à jurer sur la Bible*» était ajouté par le détective dans ses conclusions. «*Cette personne ne peut vous être d'aucune utilité pour le dossier. Sa conviction est solide et pourrait ébranler un juge. À ne pas convoquer.*»

Emmy ignore totalement qui est cette Lucette Grégoire. Mais tant de gens sont passés par l'institution du temps où elle était en pleine activité. Les enseignantes et le personnel étaient des religieuses, ce devait donc être une femme engagée en cuisine ou pour l'administration. Quelqu'un que les enfants ne voyaient jamais.

Comment a-t-elle pu se montrer aussi certaine de son innocence, alors? «Sage et obéissante» ne sont pas des qualités qu'elle a eu l'habitude d'entendre à son égard, surtout pas concernant cette époque. Réflexion faite, elle est plutôt d'accord avec cette femme: en dehors de vouloir fuir, elle s'est montrée silencieuse. Ce qui peut toujours passer pour de l'obéissance.

Le dossier se termine sur une courte lettre de Sébastien à Jacky.

Maman,

Avec un tel passé, cette femme a pu se croire légitimée de se rembourser des manquements de sa mère en exploitant ton instinct maternel puissant. Ta bonté est sûrement ce qui l'a attirée vers toi. Mais la bonté n'attire pas toujours la bonté, même si c'est désolant. On peut vouloir l'exploiter.

Es-tu bien certaine de ne pas confondre les manipulations de cette femme réputée perfide et de ne pas céder au «récit de ses malheurs» qui sont amplifiés pour t'émouvoir et t'amener à assurer son avenir pour compenser son passé lamentable?

Je suis désolé de te forcer à regarder une triste vérité qui va sans doute te peiner, mais cette personne n'est pas digne de confiance : même l'adresse qu'elle a donnée à son employeur actuel est bidon. J'y suis allé et l'homme qui y habite est une brute tatouée, sûrement membre d'un gang de rue. C'est peut-être lui qui la force à te tromper, mais s'il est dans sa vie, tout ce qu'elle obtiendra de toi ira dans ses poches, sois-en certaine. Tu as affaire à une criminelle rusée, maman, je devais te le dire au risque que tu m'en veuilles et ne me pardonnes pas mon dévouement pourtant sincère. Je suis le messager de la mauvaise nouvelle, et je le fais par amour désintéressé, au risque terrible que tu me repousses.

Ton fils qui t'aime,

Sébastien.

Emmy ne sait pas quand ce dossier éloquent a été déposé entre les mains de Jacky, mais certains soirs de hargne nourrie auxquels elle a assisté lui sont sûrement redevables.

Le vrai cadeau de ce dossier, c'est la confiance inébranlable de Jacky à son égard.

Son respect et sa confiance, ces doux baisers posés sur ses joues.

~ ~ ~

« Entrez, mon enfant, ici vous ne risquez rien. »

Ce n'est ni le visage ni la voix, mais bien le « mon enfant » qui éclaire Emmy. Lucette Grégoire est la religieuse de l'infirmerie qui les a soignées, Mimine et elle. Elle pourrait le jurer. Pourtant, si elle a soixante-dix ans, c'est qu'elle en avait alors à peine vingt-cinq. Dans son souvenir, cette personne était adulte et très raisonnable.

La femme qui est devant elle l'observe en silence, patiente, sachant ne pas précipiter les confidences des femmes en détresse qui se réfugient chez elle.

Emmy s'est montrée « rusée et fourbe » pour l'atteindre, à l'opposé de ce que sa bonté vient de la qualifier.

« Je suis Emmy Lee. »

Le visage s'éclaire, les yeux de Lucette la reconnaissent avec une telle joie qu'elle en est gênée.

« Je n'ai pas de mari violent…

— Bien sûr que non… Vous êtes vivante. Dieu merci, vous êtes vivante. »

Tout juste si elle ne tend pas la main pour vérifier qu'elle est en chair et en os.

« Quand un enquêteur est venu me demander où vous étiez, ce que vous étiez devenue, je n'ai pas demandé pourquoi et je n'ai rien dit pouvant compromettre votre sécurité. Je ne savais pas qui était cet homme ni celui qui l'employait. Depuis longtemps, j'ai pris l'habitude de me méfier des questions indiscrètes. Vous saviez que quelqu'un enquêtait sur vous ? »

Emmy hoche la tête. Ce n'est pas le sujet de sa visite : « Vous étiez religieuse…

— Et je ne le suis plus. J'ai fait comme vous, je me suis enfuie. L'infirmerie était un endroit où certaines vérités ne pouvaient pas être camouflées. Je n'ai pas pu. J'ai essayé… de rester, d'être utile… Comme vous savez, il y a obéir et trahir. On ne doit pas confondre. »

Elle s'arrête, ne sachant trop ce qu'elle peut dire. La discrétion étant la clé de son travail, elle dévie la conversation : « Parlez-moi plutôt de vous.

— Non. S'il vous plaît… j'aimerais savoir. »

Lucette Grégoire ne cache pas qu'elle a eu des soupçons concernant la responsabilité de l'administration pour tous les cas de tuberculose et d'infections pulmonaires qu'elle a soignés et si souvent échoué à guérir. Comme pour la petite Mimine. La pauvreté de l'institution, le manque criant de ressources en étaient la cause. Jamais elle n'avait mis en doute la parole de ses supérieures hiérarchiques.

« Le jour où vous êtes arrivée avec une sérieuse infection à la gorge, vous avez dit que c'était pour expier vos péchés. Je vous ai crue sans attribuer vos mots à autre chose que ce qu'on nous a enseigné : endurer la souffrance pour l'offrir à Dieu. Puis, à sept ou huit ans, vous êtes revenue… avec des douleurs et du sang qui ne provenaient pas des menstruations. Vos organes étaient, comment dire, ça ne pouvait pas être causé par des hémorroïdes. Et c'était toujours pour expier. Mais vous n'aviez pas de péchés aussi graves que vos blessures. Vous cherchiez la raison d'une telle punition. Vous vous souvenez de vos inquiétudes : la petite Mimine était-elle morte à cause de vous ? De vos microbes et de vos péchés ? Cette mort vous hantait. C'était votre péché. Je vais vous avouer que j'ai fait preuve d'inconscience, j'ai cru que vous vous punissiez vous-même, que vous vous étiez infligé ce supplice…

— Je ne me souviens pas. D'être venue vous trouver, je veux dire.

— Non ? Je vous ai soignée, je vous ai gardée à l'infirmerie. Plus pour vous surveiller que par nécessité après quelques jours. Et vous vous êtes enfuie. On vous a retrouvée peu après et j'ai été sévèrement blâmée. La supérieure n'était pas tendre. Je suppose que la dureté de sa tâche imposait ce… cette rigueur qui m'apparaissait de l'insensibilité. Elle m'a mise en garde contre vous et les histoires que vous inventiez pour jouer à la martyre. Selon elle, vous aviez une sérieuse tendance à la fabulation. Quand j'ai demandé des détails sur les histoires que vous inventiez, j'ai reçu un autre avertissement très sévère : ma place n'était peut-être pas parmi les servantes de Dieu si je remettais en doute la parole des prêtres. Je suis restée sceptique. Et, peu à peu, j'ai constitué un dossier des maux que je soignais et qui pouvaient être causés par des abus sexuels. Aujourd'hui, maintenant que ces endroits sont fermés, que les pires comportements sont connus, ça semble évident et simple à décoder. À l'époque, pour douter du prêtre qui nous confessait, de l'envoyé de Dieu, ça prenait de sérieuses preuves. C'était compliqué de discerner entre la tape pour discipliner et les abus de punitions. La maltraitance était loin d'être uniquement sexuelle. Ce qui n'excuse pas le sexuel, bien sûr. Je veux dire que ce qui était évident pour vous était très difficile à croire pour moi, vous étiez si jeune. J'avoue que je n'avais pas idée qu'une si petite fille puisse vivre ce que vous viviez. Mais le doute était installé, et toutes mes notes semblaient le confirmer. Ça m'a pris, quoi, presque deux ans à constituer une sorte de dossier. Vous étiez mon premier cas et, si j'ai continué, c'était en partie pour vous. Parce que je savais que vos problèmes relevaient des abus. Le jour où j'ai décidé de passer à l'action, ce n'est pas à la supérieure que j'ai parlé, mais à l'évêché directement. On m'a à peine laissée finir. On m'a priée de me taire et de partir. On m'a dit que mon attitude était indigne, blasphématoire. Je n'ai pas eu à me retirer de la vie religieuse, j'ai été expulsée et menacée : si je persistais dans ma démarche satanique, on irait jusqu'à Rome pour me faire excommunier. Comme vous voyez, je n'ai pas réussi à ébranler les colonnes du temple. Je suis rentrée chez moi honteuse, salie et en pleine crise de foi. Le sentiment d'échec était horrible, j'avais laissé derrière moi des enfants en danger, des enfants qui n'avaient rien demandé et qu'on avait trahis. Des enfants qui souffraient et, trop souvent, qui mouraient. Je ne peux pas vous dire comme les abus des gens d'Église me font mal. Autant que votre mort m'a fait mal. Quelle drôle de phrase à dire ! Mais vous comprenez… J'ai appris votre deuxième fugue parce qu'ils sont venus jusque chez mes parents m'interroger. Ils m'ont crue capable de vous cacher. Et je l'aurais fait. La dernière fois que j'ai osé demander de vos nouvelles, ils m'ont dit de prier, que vous étiez morte. (Elle sourit.) Si vous saviez comme je vous ai pleurée.

— Comme j'ai pleuré Mimine…

— Vous savez que toute sa famille avait la tuberculose ? Ses deux frères aussi. Ils en sont morts dans leur pensionnat. J'ai essayé d'enquêter là-dessus aussi. Un vrai Sherlock Holmes ! J'aurais tellement voulu vous le dire, mais ça a été long avant que je sache pour eux et… vous étiez partie. Je veux dire, déclarée morte. Mais qui vous a aidée, parlez-moi de vous. Dites-moi…

— La petite Mimine… vous savez si on l'a enterrée quelque part ? »

Le regard de Lucette est traversé d'un éclair de tristesse : « Encore cette question… vous l'avez tellement posée que je ne croyais pas vous l'entendre dire encore. Vous l'avez protégée, maternée comme si elle était votre enfant. Elle était la plus âgée, pourtant. Oui, bien sûr qu'elle est enterrée. Ma réponse est la même qu'à l'époque.

— Où ? Je ne me rappelle pas.

— Fosse commune. Son nom n'est nulle part. Ça doit être la raison de votre doute. J'étais là, j'ai assisté à la messe des funérailles.

— Pas moi ? Je me souviens pourtant d'elle dans la chapelle…

— Vous aviez de la fièvre, j'ai failli vous perdre cette nuit-là. On peut dire que vous aviez le tour de me fausser compagnie. Vous êtes allée la voir. Je vous ai trouvée près d'elle en pleine nuit. À réchauffer ses pieds. Et vous étiez brûlante de fièvre dans cette chapelle glaciale.

— Je pensais que c'était ses funérailles. Dans mon souvenir…

— Je suppose que si vous en aviez eu la force, vous auriez aussi assisté à la messe. Vous étiez très malade. On vous a administré l'extrême-onction.

— Qui ?

— L'aumônier, le prêtre… enfin, lui ! Celui qui vous a agressée.

— Ouellet. Le père Ouellet. »

Cette seule évocation remue tant de souvenirs amers que ni l'une ni l'autre ne parle. Après un long temps, Emmy hausse les épaules et regarde Lucette avec gentillesse : « Vous étiez sœur de la Miséricorde…

— Sœur Marie-de-la-Miséricorde, oui… Ça m'en a pris pour me pardonner. En partie, du moins.

— C'était pas vous, la responsable.

— Indirectement, c'était moi. Au premier soupçon, quand vous êtes venue vous faire soigner… j'aurais dû sonner l'alarme. Tous les noms au dossier, chaque enfant qui s'ajoutait pour ma preuve, c'était un enfant sacrifié de trop.

— Même avec votre dossier, on vous a envoyée promener.

— On m'a envoyée chez le diable, oui ! Mais l'important, c'était d'agir. Pas ce qu'on ferait de mes actions. Ce qui m'appartenait, c'était de dénoncer. Et j'ai pris trop de temps avant de le faire. J'ai permis au mal de se propager.

— Et maintenant, vous aidez les femmes en difficulté. On ne peut pas dire que vous avez changé.

— J'aide peu. J'ai surtout une équipe fantastique. Moi, je fais l'apostolat, je cherche des fonds, j'essaie de convaincre les autorités d'investir pour permettre aux femmes de repartir sur une meilleure base. Les rendre plus fortes, plus solides, leur enlever de la tête que la violence, c'est leur faute, leur responsabilité. Tiens ! Encore vous, ça ! C'est avec vous et Mimine que j'ai compris qu'il fallait vous débarrasser de cette idée. De cette culpabilité, finalement. J'aurais tellement voulu vous aider à vous enfuir ! Quand je pense que vous l'avez fait toute seule. Sans l'aide de personne. Quelle bravoure quand on sait d'où vous partiez... Allez-vous enfin me dire comment ça s'est passé pour vous ? Qui était cet homme qui m'a posé des questions ? Vous n'êtes pas dans une mauvaise passe, rassurez-moi. Personne ne vous cherche avec de mauvaises intentions ? Mon Dieu, dire que je vous ai crue morte ! Mais où vous étiez ?

— Dans une famille. Je faisais plus que mon âge, ça m'a aidée à me débrouiller.

— Y a encore du bon monde. Faut pas désespérer. »

Emmy n'a pas très envie de participer à la déception de cette femme pétrie de bonté. Elle coupe court et laisse ses moyens de survie de côté, se contentant de répéter qu'elle est saine et sauve et que c'est le principal.

Elle voudrait bien partir, mais Lucette la retient encore : « Vous y êtes retournée ? Vous avez vu ce qu'est devenu l'endroit ? »

Avant de lire le dossier de Sébastien, Emmy ne savait même pas le nom de la ville où était l'institution.

« J'ai pas l'habitude de retourner dans le passé.

— Sauf pour Mimine...

— Oui, sauf pour elle. Et mes souvenirs manquent de précision, je m'en aperçois.

— Encore heureux que vous en ayez avec la fièvre et l'âge que vous aviez.

— J'aurais peut-être mieux fait d'oublier.

— Vous croyez ? C'est quand même de là que vous êtes partie. Et ça influence toute votre vie, que vous le vouliez ou non. C'est sûrement pénible, mais vous étiez déjà forte.

Assez forte pour être devant moi aujourd'hui. J'imagine ce que ça vous a pris de courage… Et vous l'avez toujours, ce courage-là. »

Emmy a l'impression qu'elle lui parle de quelqu'un d'autre, que ce n'est sûrement pas elle, cette personne déterminée et plutôt belle que Lucette voit.

« Croyez-vous encore ? En Dieu, je veux dire.

— Ça va vous étonner, mais oui. Dieu m'a aidée quand l'Église m'a laissée tomber. Dieu a rien à voir avec tout ça. J'ai fait ma paix avec Lui. Ça a été long, mais j'ai fait ma paix. Comme vous. »

Là-dessus, Emmy a un sérieux doute. Mais elle n'a pas envie d'en parler. Tout comme elle refuse de se joindre à tout recours collectif dont lui parle Lucette pour être dédommagée des torts causés par un prêtre mort depuis des années. Quel est le prix d'un arbre foudroyé ? Elle ne jouera pas à ce jeu.

« Vous reviendrez me voir ? Vous m'en avez dit si peu… Que voulait cet homme, finalement ?

— Me dépouiller.

— Il ne sait pas à qui il s'attaque, le pauvre ! Quand vous décidez de vous défendre… Bonne chance, Emmy, et merci d'être venue. Ça me fait tellement de bien de vous savoir vivante et sortie d'affaire. »

~ ~ ~

C'est étrange de constater qu'à treize ans, elle avait disparu aux yeux de tous. Présumée morte. Elle aurait pu faire table rase du passé et prétendre sortir de la famille la plus aisée, la plus formidable. Les sœurs avaient vraiment erré en la taxant de menteuse et de fabulatrice. Elle ne sait rien inventer, c'est clair. Elle est restée embourbée dans ses limbes, elle a fui alors que tout le monde avait cessé de la poursuivre. Elle courait, elle s'essoufflait alors qu'elle aurait pu marcher tranquillement.

Et regarder le paysage.

Le fleuve est bien mince, ici. Il n'a pas l'ampleur et le lyrisme qu'elle lui a connus.

Emmy trouve sa vie bien mince aussi. Mais, contrairement au fleuve, ni l'ampleur ni le lyrisme ne l'ont jamais traversée.

Ce soir-là, pour la première fois depuis toujours, en rentrant chez Raymonde, elle éprouve une forte impression de « chez soi ». Est-ce l'odeur de mijoté, l'ordre et la paix dégagés par sa chambre, elle l'ignore. Elle accroche son manteau et son réflexe est de monter raconter son voyage et sa rencontre. Pour mettre de l'ordre aussi dans sa tête.

Elle s'arrête au milieu de l'escalier, saisie : Raymonde ignore tout de son passé, de qui elle est vraiment. Comme Jacky. Comme tous ceux qu'elle a croisés. Même ceux qui lui ont témoigné respect et confiance.

Elle redescend, sidérée. Jamais, à qui que ce soit, jamais elle n'a partagé la moindre parcelle de son histoire. Comme si l'avouer risquait de la tuer. Si Jacky la connaissait, ce n'était ni son fait ni son récit. Elle lui avait même caché ce qu'elle savait de peur de la voir fuir.

Non seulement elle n'a jamais inventé d'histoires, mais elle a ignoré, enfoui la sienne dans les limbes. Pour l'oublier. Alors qu'elle n'a réussi qu'à la perpétuer en la taisant, en s'en cachant elle-même.

Elle n'est pas discrète ou mystérieuse, elle se découvre hantée, emprisonnée dans son silence. Emmurée. Elle n'a pas fait la paix avec son passé, elle l'a piétiné, renié. Elle a fait comme s'il n'existait pas, comme s'il ne la concernait plus. Comme si c'était sa honte à elle, sa faute à elle. Et cette honte, elle l'a transportée avec elle toutes ces années, un poids supplémentaire sur ses épaules fatiguées.

Elle aurait pu aussi bien être morte, comme on l'a cru. Elle n'a rien construit, tissé aucun lien d'elle-même. Elle s'est préoccupée d'une morte pendant toute sa vie et elle semble en voie de rééditer cet exploit avec Jacky, maintenant qu'elle est morte. Jacky qu'elle n'a pas cherché à connaître, à aimer, Jacky qui s'est imposée avec force et patience. Avec respect aussi. Comme Raymonde. Ces deux femmes qui n'ont rien demandé et tout offert, jusqu'à ce foutu silence qu'elle exigeait pour supporter leur affection si dangereuse à ses yeux.

Elle qui croyait ne jamais rien demander !

Si Jacky, sachant pertinemment qui elle était, a jugé bon de persister et de la protéger, n'est-ce pas une énorme preuve d'amour ? Que fait-elle, qu'a-t-elle fait de ces gens qui prouvaient que « le bon monde existe encore », comme a dit Lucette ? Elle s'est précipitée toute sa vie dans des bras indignes pour se sentir supérieure ou seulement digne et elle a ignoré les mains tendues. La bouche pleine de cendres, elle s'est hâtée vers le vil et a permis que son corps soit lacéré, humilié, utilisé, comme si c'était le corps infâme qu'on lui avait attribué. Ce qu'elle méritait. Tout ce temps, elle a donné raison au prêtre, à ce sadique qui a abusé de bien davantage que son corps. Il a rendu son cœur muet à l'amour, à l'affection et à la bonté. Elle s'est emparée du fouet pour continuer le carnage. Ce ne sont pas les autres qui ont perpétué le viol, c'est elle. De sa propre main. Pour prouver quoi ? Que le mal existe ? Qu'elle est une victime ? Elle déteste cette idée. Mais victime ou pas, elle a craché dans la mauvaise soupe. Elle a fui les bonnes personnes et elle a accepté que des moins que rien l'approchent, la touchent. Elle s'est cachée, elle s'est même effacée aux yeux de ceux qui la voyaient et ne la méprisaient pas. Comme cette Lucette qui la regardait avec une joie authentique et qui lui octroyait un courage dont elle se sent indigne jusqu'à la moelle. Comme Jacky. Comme Raymonde qui a deviné sans chercher à confirmer, sans chercher à la forcer au plus mince aveu, à la plus infime confidence. En tout respect de son rythme, de sa personne. Comme si elle était quelqu'un.

Parce qu'elle est quelqu'un. Et qu'il est temps de cesser de se traiter en déchet.

Naître rien ne veut pas dire ne rien devenir, n'être rien.

Si les damnés, les exilés, les méprisés de la terre trouvent une issue et recommencent une vie, rien ne l'oblige à macérer dans son passé et à le répéter. Rien, sauf sa conviction intime de ne pas valoir la peine, de n'être encore et toujours que ce qu'elle était au départ : rien.

On peut enterrer ses morts sans enterrer le courage qu'ils nous ont légué, n'est-ce pas, Jacky ?

Intégrer le bon et accepter le temps que ça prend parfois à se regarder franchement, douleur et déshonneur admis, échecs et faiblesses non pas excusés, mais pardonnés — parce que ce n'est pas de la chair à vivre, c'est de la putréfaction par avance, parce que vivre avec ses morts attachés sur le dos, c'est mourir.

Emmy rentre dans sa chambre et reste là, debout, inutile, convaincue qu'elle doit trouver une solution immédiatement. Si elle ferme encore cette porte, si elle se tait, se cache encore, où trouvera-t-elle le courage de continuer? Comment Lucette a-t-elle dit ça, déjà? « Ça me fait tellement plaisir de vous savoir vivante et sortie d'affaire. »

Le cœur fou, la gorge sèche, elle hésite, étouffée d'angoisse. À l'intérieur, c'est la panique. Au dehors, elle se tient droite, pétrifiée de terreur.

Elle ressort de sa chambre, remonte calmement l'escalier.

Elle trouve Raymonde penchée sur le lave-vaisselle, Raymonde qui se redresse, souriante, et qui attend, le sourcil relevé, l'œil bienveillant.

« Je peux vous parler? »

~ ~ ~

Au premier anniversaire de la mort de Jacky, Emmy rencontre le notaire Langlois et reçoit la première tranche d'un héritage qui lui reviendra en totalité.

Maintenant que la justice a tranché en sa faveur, elle entreprend les démarches nécessaires pour changer son prénom et le restaurer tel qu'il devait être au départ : Émilie.

L'état civil étant scrupuleux envers le respect des origines, elle ne cherche pas à « ébranler les colonnes du temple » en changeant le « Lee » de son patronyme.

Elle sera Émilie Lee, peu importe que ce nom soit creux d'histoire et que son arbre généalogique se résume à une seule branche.

Émilie Lee sonne peut-être insolite, mais à ses yeux et à ses oreilles, elle y gagne.

Fin

Remerciements

Comment dire merci pour toute l'aide que je reçois ? Que ce soit un détail technique dont la science m'échappe ou un détail anecdotique qui deviendrait une bourde s'il n'était corrigé, je suis entourée de gens qui en connaissent plus long que moi et qui m'offrent leur soutien indéfectible. Parmi ceux-ci, mes sœurs Michèle et Francine m'ont, chacune à leur manière, apporté leurs lumières.

Mes doutes syntaxiques et mes hésitations d'orthographes sont si souvent calmés par Robert Claing que je ne sais plus comment le remercier pour sa constance et son zèle.

Les mots en innu que j'ai utilisés m'ont été offerts par Florent Vollant, qui a cherché pour moi dans la richesse de sa langue ce prénom si beau, Maikaniss, qui signifie « Petite Louve ». Merci de son amicale collaboration.

Enfin, il y a toujours un moment quand j'écris le premier jet d'un roman où je dois savoir les détails d'application d'une loi pour être en mesure de continuer à inventer la vie de mes personnages sans les perdre dans la brume de l'ignorance des codes qui régissent nos sociétés.

Quand ça arrive, j'appelle ma nièce Catherine Laberge, mon puits de sciences juridiques, mon recours contre les erreurs qui rendraient mon récit non crédible. Ses connaissances n'ont d'égales que ses capacités d'écoute et de compréhension du « problème » auquel je me bute. Elle m'offre des solutions pour contourner ou exploiter la loi, elle fouille et me suggère des voies parfaites pour que je puisse continuer sans pour autant me sentir bloquée ou même contrainte de tout changer. Elle réussit à stimuler ma création en m'expliquant les règles de droit : il faut le faire ! Je suis incapable d'estimer le nombre d'heures de travail qu'elle m'a épargnées. Mais elle est un trésor pour moi.

Je la remercie du fond du cœur.

S'il subsiste des erreurs, croyez bien que j'en suis l'entière responsable.